VALERIA DELLA VALLE
GIUSEPPE PATOTA

L'ITALIANO
IN GIOCO

Sperling & Kupfer

L'ITALIANO IN GIOCO

Proprietà Letteraria Riservata
© 2014 Sperling & Kupfer Editori S.p.A.

ISBN 978-88-200-5635-3
02-I-14

Realizzazione editoriale a cura di Giuseppe Doldo

Illustrazioni nel testo © Camilla Garofano

A Fabrizio e Luisa,
che ci hanno dato l'idea

Indice

Introduzione

QUESTO è il dodicesimo libro che scriviamo insieme. Ci hanno chiesto in molti – amici, colleghi, lettori – come sia stato possibile, nei vent'anni di collaborazione, non avere mai litigato. Ce lo siamo domandato anche noi, ed ecco la risposta: quando scriviamo i nostri libri di divulgazione sulla lingua ci divertiamo. Ci divertiamo perché affrontiamo gli argomenti da trattare spogliandoci di ogni supponenza professorale, e cercando di spiegare in modo chiaro, semplice, amichevole, i meccanismi e i trabocchetti della lingua italiana. Per farlo ci poniamo domande, ci tendiamo tranelli, fingiamo gare per vedere chi ne sa di più. A volte il nostro lavoro assomiglia a un gioco.

Nasce da qui l'idea di questo libro, e anche dal suggerimento di alcuni amici e lettori che nel corso degli anni ci hanno raccontato di essersi divertiti a usare i nostri manuali per mettersi alla prova, per verificare la propria conoscenza della lingua italiana o quella dei propri amici e familiari.

Libri di giochi linguistici ne esistono già molti. Il nostro si differenzia dagli altri perché dà più spazio alle soluzioni che alle domande: sia che il quesito riguardi la grammatica sia che riguardi la pronuncia, l'etimologia o il significato delle parole, ogni soluzione consiste in una piccola dissertazione che chiarisce perché una forma è giusta e una, invece, sbagliata, oppure qual è l'origine di una parola, o come sono nati modi di dire o proverbi che usiamo sempre ma dei quali non sapremmo spiegare il senso.

Ecco il trucco: imparare giocando. In questo modo, ci auguriamo, il libro potrà essere al tempo stesso utile e divertente, e forse contribuire, mettendolo in gioco, a far conoscere e amare di più un bene prezioso: l'italiano.

Le regole del gioco

Si può giocare da soli o in più persone, singolarmente o a squadre, per test o per livello. I test sono distribuiti su tre livelli di difficoltà: elementare, intermedio, avanzato, e sono 30 per ciascun livello. Alla fine di ogni test si trovano le relative soluzioni e la griglia sulla quale segnare le risposte corrette e il punteggio totale ottenuto (T).

L'obiettivo è raggiungere il massimo dei punti: 12 per test, 360 per livello. Chi si avvicinerà a questo numero o lo raggiungerà potrà davvero sentirsi degno erede del padre della lingua italiana, la cui immagine benevola accompagna i giocatori in ognuno dei tre livelli.

Buon divertimento!

Livello elementare

1

Dove va l'accento?

Si dice…

1. *àdulo* o *adùlo?*
2. *àrista* o *arìsta?*
3. *callìfugo* o *callifùgo?*
4. *cìclope* o *ciclòpe?*
5. *èdile* o *edìle?*
6. *èureka* o *eurèka?*
7. *ippodròmo* o *ippòdromo?*
8. *persuàdere* o *persuadére?*
9. *sùtura* o *sutùra?*
10. *tèrmite* o *termìte?*
11. *viòlo* o *vìolo?*
12. *zèfiro* o *zefìro?*

Soluzioni

1. La pronuncia corretta è *io **adùlo*** (= 'lodo in modo esagerato qualcuno per compiacerlo'), *tu adùli*, *lui adùla*, che riprende il verbo latino *adùlor*, con l'accento sulla *u*.

2. I buongustai sanno che l'*àrista* è la schiena del maiale. *Àrista* deriva, probabilmente, dal greco *áristos*, cioè 'ottimo', 'il migliore', e indica le parti migliori del maiale: è dunque un grecismo gastronomico portato anticamente a Roma dall'Oriente. La pronuncia corretta è **àrista**, che mantiene l'accento greco originario sulla *a*.

3. Si dice **callìfugo**, con l'accento sulla *i*. Per la spiegazione bisogna risalire al latino. La parola *callìfugo* (e altre dello stesso tipo, come *febbrìfugo*, *vermìfugo*, eccetera) è stata creata modernamente, unendo *callo* alla terminazione *-fugo*, che significa 'che mette in fuga', 'che elimina'. In latino le parole composte con *-fugus* non avevano mai l'accento sulla sillaba *fu*, ma sempre su quella che la precedeva. La stessa cosa vale per le parole italiane.

4. Si dice **ciclòpe**. Per la mitologia greca il ciclope era un gigante mostruoso con un occhio solo in mezzo alla fronte. *Kýklops*, il termine greco che lo indicava, descrive perfettamente questa caratteristica: è infatti composto da *kýklos* (= 'cerchio') e *óps* (= 'occhio'), a indicare appunto un essere con un occhio rotondo al centro della fronte. Nel passaggio dal greco al latino si è avuto *Cyclòpem*, con l'accento sulla *o*, che spiega la pronuncia dell'italiano.

5. La pronuncia corretta è **edìle**, con l'accento sulla *i*: lo garantisce l'etimologia, che fa derivare questo aggettivo dalla parola latina *aedìlem*, anch'essa con l'accento sulla *i*. Nella Roma antica l'*aedìlis* era il magistrato che curava gli edifici pubblici

4

e i templi, i quali in latino erano detti *aedes*: di qui la forma *aedìlis*. Oggi la parola *edìle* è un aggettivo che significa 'relativo all'edilizia' (*impresa edìle, imprenditore edìle*) oppure un nome che significa 'lavoratore dell'edilizia' (*il contratto degli edìli*).

6. L'accento va messo sulla prima *e*. **Èureka** è un'esclamazione che esprime gioia e/o soddisfazione: si usa quando si è risolto, finalmente, un problema difficile. Tradizione vuole che questa parola sia stata pronunciata dal grande Archimede quando scoprì un'importantissima legge fisica. Archimede era nato a Siracusa e parlava il greco, come tutti gli abitanti della Sicilia antica, colonia della Grecia. La sua esclamazione (sempre che l'abbia pronunciata davvero!) corrispondeva al nostro: «Trovato!» *Éureka*, infatti, è la prima persona di un tempo passato del verbo *eurísko*, che in greco antico significa, appunto, 'trovare'.

7. La parola **ippòdromo**, che indica il 'luogo in cui si svolgono le corse dei cavalli', proviene dal greco *ippódromos*, parola composta da *íppos* (= 'cavallo') e *drómos* (= 'corsa'). Dal greco antico il termine è passato al latino, trasformandosi in *hippòdromum*, e da qui è arrivato all'italiano, mantenendo sempre l'accentazione originaria.

8. La pronuncia corretta è **persuadére**, che riproduce quella del verbo originale latino *persuadére*. Per la diffusione del tipo *persuàdere*, con l'accento sulla *a*, è stato determinante il modo di pronunciare le prime persone del presente indicativo: *io persuàdo, tu persuàdi, lui persuàde*, eccetera.

9. La **sutùra** serve a riunire i margini di una ferita, e deve essere eseguita bene. Lo stesso vale per la sua pronuncia: l'accento deve cadere sulla seconda *u*, non sulla prima. La parola de-

riva dal latino *sutùram*, che significava 'cucitura': aveva l'accento sulla seconda *u*, dove è rimasto e dove deve rimanere.

10. **Tèrmite**. La parola che indica questi insetti poco simpatici (si nutrono del legno e combinano parecchi guai, aggredendo alberi e cose) va accentata sulla *e*. L'accento cade sulla *e* anche nella parola latina da cui deriva quella italiana, che è *tèrmitem*, e non c'è alcun motivo per spostarlo su un'altra vocale.

11. La pronuncia corretta è *io* **vìolo**, *tu vìoli*, *lui vìola*, che riprende il latino *vìolo*, *vìolas*, *vìolat*, con l'accento sulla *i*.

12. Per indicare il vento che soffia da ponente bisogna dire **zèfiro**, con l'accento sulla *e*. La parola deriva dal latino *zèphirum*, a sua volta derivante dal greco *zéphiros*, collegato con *zóphos*, cioè 'oscuro': questo perché lo zefiro era considerato un vento violento.

Punteggio

1	2	3	4	5	6	7	8	9	10	11	12	**T**

2

Così o cosà?

Si scrive…

1. *acquiescente* o *aquiescente*?
2. *aereoporto* o *aeroporto*?
3. *deficente* o *deficiente*?
4. *emoraggia* o *emorragia*?
5. *esterrefatto* o *esterefatto*?
6. *evacuare* o *evaquare*?
7. *fraudolente* o *fraudolento*?
8. *grattuggiare* o *grattugiare*?
9. *incoscenza* o *incoscienza*?
10. *iniquo* o *inicuo*?
11. *innoquo* o *innocuo*?
12. *ognuno* o *ogniuno*?

Soluzioni

1. *Acquiescente* (aggettivo che significa 'consenziente', 'remissivo') deriva dal latino *acquiescere* (= 'riposare'). La grafia con *-cq-* è dunque originaria.

2. L'unica forma corretta è **aeroporto**; lo stesso vale per *aeroplano* e per tutte le altre parole composte con *aero-*, come *aeroambulanza, aerobrigata, aeroclub, aerodinamico, aerolinea, aeromodellismo, aeronautica, aerosol, aerostato, aerostazione*, eccetera. L'elemento che serve per formare queste parole, infatti, è sempre lo stesso: *aero-*, che deriva dalla parola greca *aer* (= 'aria') e indica qualcosa di relativo all'aria o agli aeroplani. Il tipo *aereoporto* è ricostruito popolarmente su *aereo*. *Aereo*, che oggi è un nome, originariamente era un aggettivo che voleva dire 'di aria', 'dell'aria', 'che vola nell'aria', 'relativo all'aria'. Quando l'aeroplano è comparso per la prima volta è stato definito *apparecchio aereo*, cioè 'apparecchio che vola nell'aria'. Successivamente la parola *apparecchio* è scomparsa, e *aereo*, da aggettivo che era, è diventato un nome a tutti gli effetti.

3. La grafia corretta è **deficiente**, che riprende il latino *deficientem*, participio presente del verbo *deficere* (= 'mancare'), da cui il termine deriva.

4. La pronuncia corretta è **emorragia**, con *r* intensa (o, come si dice, «doppia») e *g* scempia (o, come si dice, «semplice»), che riproduce quella originaria. *Emorragia*, infatti, deriva dal termine greco *aimorraghia* (= 'flusso di sangue'), composto da *aima* (= 'sangue') e da *reg*, radice del verbo *reghnumi*, 'rompo'.

5. **Esterrefatto.** La parola viene dal verbo latino *exterrere*, cioè 'atterrire', di cui ha conservato le due *r*.

6. **Evacuare** (= 'svuotare', 'sgombrare', 'espellere') riprende la grafia del latino da cui deriva: *evacuare* (= 'vuotare'), composto da *ex* (= 'da') e *vacuus* (= 'vuoto').

7. **Fraudolento**, che deriva dal latino *fraudulentum*, a sua volta proveniente da *fraus* (= 'frode'). La forma *fraudolente* è completamente uscita dall'uso da molto tempo.

8. La forma corretta è **grattugiare**: il verbo, infatti, deriva da *grattugia*, che continua il provenzale *gratusa* e ha una sola *g*.

9. **Incoscienza** è una parola dotta, che riprende direttamente il latino *inconscientiam*, di cui ha conservato la grafia quasi per intero.

10. **Iniquo** (= 'ingiusto') è una parola dotta, che riprende direttamente il latino *iniquum*, composto dal prefisso negativo *in* (= 'non') e dall'aggettivo *aequus* (= 'giusto'). Del termine di provenienza latina, *iniquo* ha conservato la grafia per intero.

11. **Innocuo** (= 'inoffensivo') è una parola dotta, che riprende direttamente il latino *innocuum*, composto dal prefisso negativo *in* (= 'non') e dall'aggettivo *nocuus* (= 'nocivo'). Del termine di provenienza latina, *innocuo* ha conservato la grafia per intero.

12. **Ognuno** è, effettivamente, il risultato della combinazione dell'aggettivo *ogni* e del numerale *uno*. La grafia *ogniuno*, documentata nell'italiano antico, è ormai completamente uscita dall'uso.

Punteggio

1	2	3	4	5	6	7	8	9	10	11	12	**T**

3

Sillabario

Dividete in sillabe:

1. accostamento
2. asintomatico
3. autunnale
4. capriola
5. contorsione
6. destra
7. dispari
8. euclideo
9. logopedista
10. sociologia
11. tergicristalli
12. universitario

Soluzioni

1. ac-co-sta-men-to; 2. a-sin-to-ma-ti-co; 3. au-tun-na-le;
4. ca-pri-o-la; 5. con-tor-sio-ne; 6. de-stra; 7. di-spa-ri;
8. eu-cli-de-o; 9. lo-go-pe-di-sta; 10. so-cio-lo-gi-a;
11. ter-gi-cri-stal-li; 12. u-ni-ver-si-ta-rio.

Le norme che regolano la divisione delle parole in sillabe sono nove:

1. Una vocale a inizio di parola seguita da una consonante for-
    ma da sola una sillaba: *o-no-re*.
2. Una consonante semplice forma una sillaba con la vocale se-
    guente (anche *x*, che di fatto vale per *c* + *s*, si comporta come
    una consonante semplice): *li-do*, *Do-xa*.
3. Due o tre lettere che rappresentano un unico suono non si
    dividono e formano un'unica sillaba con la vocale seguente:
    ra-gio-ne (non *ra-gi-one*), *pi-glia-re*, *co-scia*.
4. Non si dividono i gruppi di due consonanti formati da *b*, *c*,
    f, *g*, *p*, *t*, *v* + *l* o *r*: *ru-blo*, *sa-cro*, *A-fri-ca*, *si-gla*, *re-pli-ca*, *te-
    a-tro*, *do-vre-i*.
5. Non si divide il gruppo formato da *s* + consonante: la *s* che
    precede una consonante (detta anche «*s* impura») forma sem-
    pre un'unica sillaba con la consonante e la vocale che seguo-
    no: *na-sco*, *mo-stra*, *Gi-smon-di*.
6. Si dividono i gruppi di due consonanti uguali e il gruppo *cq*:
    val-le, *sas-so*, *ac-qua*.
7. Si dividono i gruppi formati da due consonanti qualsiasi:
    cal-do, *por-ta*, *fuc-sia*, *Ed-gar-do*, *Daf-ne*, *Lep-tis*. Il criterio
    alla base di questa norma è quello di non far cominciare una
    sillaba con un gruppo di consonanti che non si troverebbero
    a inizio di parola; è il caso, negli esempi citati, di *ld*, *rt*, *cs*, *dg*,

fn, pt. Invece, esistono molte parole inizianti per *bl* (*blocco*) o *cr* (*creta*) – in armonia con la regola 4 – e molte altre parole inizianti per *s* + consonante (*scarpa, strano, smania*), in armonia con la regola 5.

8. Nei gruppi di tre o più consonanti la divisione avviene tra la prima e la seconda consonante: *com-pro, pol-tro-na, in-ter-sti-zio*. Quando l'incontro tra seconda e terza consonante dà luogo a un gruppo non ammesso dalla fonetica italiana (*vedi* regola 7), la divisione avviene tra seconda e terza consonante: *feld-spa-to, tung-ste-no*.

9. Nell'incontro di vocali si possono dividere solo le vocali che non si pronunciano insieme (*le-o-ne, bo-sni-a-co*), non quelle che formano un dittongo (*fiam-ma, feu-do, pie-de*) o un trittongo (*a-iuo-la*).

Punteggio

1	2	3	4	5	6	7	8	9	10	11	12	T

4

Il ritorno dell'accento

Si dice...

1. *àmaca* o *amàca?*
2. *càduco* o *cadùco?*
3. *Cervèteri* o *Cervetèri?*
4. *Cònero* o *Conèro?*
5. *cosmopòlita* o *cosmopolìta?*
6. *elèttrodo* o *elettròdo?*
7. *Frìuli* o *Friùli?*
8. *ìmpari* o *impàri?*
9. *mòllica* o *mollìca?*
10. *pervàdere* o *pervadére?*
11. *prosòdia* o *prosodìa?*
12. *rùbrica* o *rubrìca?*

Soluzioni

1. Bisogna dire **amàca**, con l'accento sulla seconda *a*. La parola viene dalla lingua di Haiti, e precisamente da *hammàka*, che in caribico significava 'letto pensile'. Agli inizi del Cinquecento gli spagnoli hanno introdotto il nome e l'oggetto in Europa, nella forma *hamàca*, che si è mantenuta a lungo inalterata, tant'è che Manzoni, nei *Promessi sposi*, scriveva ancora *hamàc*. A diffondere la forma *amàca* è stato Gabriele D'Annunzio alla fine dell'Ottocento.

2. La pronuncia giusta è **cadùco**. L'accento, infatti, era sulla *u* anche in *cadùcus*, la parola latina da cui quest'aggettivo deriva (e che significa 'destinato a cadere' e dunque anche 'effimero', 'instabile').

3. **Cervèteri**, senz'alcun dubbio: lo dimostra l'etimologia. Originariamente questa importantissima città etrusca si chiamava *Caere* (pron. *Cère*); dopo che una parte dei suoi abitanti ebbe fondato un nuovo villaggio, chiamato *Cèri*, la città vecchia cominciò a essere indicata come *Caere Vètere*, cioè, in latino, 'Caere vecchia'. Successivamente, questo nome fu italianizzato in *Cervèteri*.

4. Tutti (o quasi) sanno che il **Cònero** è un monte che si trova nelle Marche. Non tutti, però, ne pronunciano il nome con l'accento al posto giusto, ovvero sulla *o*. L'antico nome latino di questo monte era *promunturium Cùnerum*, cioè 'promontorio a forma di cuneo' (*Cùnerum* ha la stessa radice del latino *cùneum*, 'cuneo'): da *Cùnerum* a *Cònero* il passo è stato breve.

5. La pronuncia corretta è **cosmopolìta**, con l'accento sulla *i*, proprio come in altre parole che terminano in -*ita*: *israelìta*, *moscovìta*, *preraffaellìta*, eccetera. La parola viene dal termine *kosmopolìtes*, anch'esso con l'accento sulla *i*, che in greco

antico significava 'cittadino del mondo', ed era un composto di *kósmos* (= 'mondo') e di *polítes* (= 'cittadino'). Il significato antico si è mantenuto fino ai giorni nostri: il *cosmopolìta*, infatti, è una persona aperta che, considerando sua patria il mondo intero, sa accettare e condividere le usanze e le idee dei popoli più diversi e lontani. Oltre che come nome, la parola può essere usata anche come aggettivo: *una città, un ambiente, una mentalità cosmopolìta.*

6. Bisogna dire **elèttrodo**, con l'accento sulla *e*. Riprende la parola inglese *elèctrode* (naturalmente, con accento sulla seconda *e*), proposta nel 1834 dal suo inventore, Michael Faraday, in sostituzione del termine *pole* (= 'polo'). Indica un conduttore di corrente elettrica.

7. La pronuncia corretta è **Friùli**, con l'accento sulla *u*. Il nome della regione, infatti, deriva da *Forum Iùlii* (anch'esso con l'accento sulla *u*), che in latino significava 'foro, piazza di Giulio'. *Iulii* può essere un riferimento a Giulio Cesare o, più probabilmente, alla potente famiglia romana denominata *gens Iulia*.

8. L'aggettivo **ìmpari** significa 'non pari', 'disuguale', e deve essere pronunciato con l'accento sulla prima *i*, proprio come *dìspari*. Sia *ìmpari* sia *dìspari* hanno conservato gli accenti originari delle parole latine da cui derivano: *ìmpar* e *dìspar*.

9. **Mollìca**, sempre, comunque e dovunque. Lo impone la curiosa storia di questa parola: alla base del termine italiano c'è il latino *mollìca* (anch'esso con l'accento sulla *i*), nato dall'incrocio di due parole: *mollis* (= 'morbido', 'molle') e *mìca* (= 'briciola'). Che altro è, infatti, la *mollìca*, se non una 'morbida briciola di pane'?

10. Il verbo **pervàdere** significa 'invadere diffondendosi ovunque', 'penetrare', e deve essere pronunciato con l'accento sul-

la *a*. Questa pronuncia riproduce quella del verbo originale latino *pervàdere*, composto da *per* (= 'attraverso') e *vàdere* (= 'andare').

11. La parola **prosodìa** indica oggi l'insieme delle regole relative all'accentazione. Alla sua base c'è il termine greco *prosoidía*, composto da *prós* (= 'verso', 'in direzione di') e *oidé* (= 'canto'): bisogna ricordare, infatti, che nelle lingue classiche la prosodia regolava la quantità delle sillabe nei versi. Il greco *prosoidía* è diventato in latino *prosòdiam*, ma l'italiano ha mantenuto l'accentazione del greco, come è accaduto in molte altre parole che terminano in *-ia*, come *fantasìa*, *malinconìa*, *simpatìa*, eccetera.

12. **Rubrìca**. Bisogna mantenere l'accentazione del termine da cui la parola deriva, che è il latino *rubrìcam*, con accento sulla *i*, proveniente a sua volta dall'aggettivo *rùber*, cioè 'rosso'. I latini avevano l'abitudine di tingere di rosso alcune parti dei rotoli di papiro o di pergamena su cui scrivevano. Durante il Medioevo tale abitudine non andò perduta, e nel chiuso dei monasteri gli amanuensi presero a tingere di rosso le parti più importanti dei manoscritti. In un primo tempo la parola *rubrìca* si riferiva a queste parti scritte in rosso, poi assunse altri valori, indicando, di volta in volta, non più l'indice degli argomenti ma qualsiasi elenco ordinato alfabeticamente (*la rubrìca telefonica*); non più la parte importante di un libro, ma la parte di un giornale (e poi di un programma radiotelevisivo) dedicata a un determinato argomento (*la rubrìca mondana*; *una rubrìca dedicata allo sport*).

Punteggio

1	2	3	4	5	6	7	8	9	10	11	12	**T**

5

Articolazioni

Si dice...

1. *lo* gnocco o *il* gnocco?
2. *il* zappatore o *lo* zappatore?
3. *il* whisky o *l'*whisky?
4. *mio* padre o *il mio* padre?
5. *mia* madre o *la mia* madre?
6. *mio* papà o *il mio* papà?
7. *mia* mamma o *la mia* mamma?
8. *il* wargame o *lo* wargame?
9. *i* dei o *gli* dei?
10. *l'*iodio o *lo* iodio?
11. *il* chiffon o *lo* chiffon?
12. *il* chupito o *lo* chupito?

Soluzioni

1. *lo* gnocco; 2. *lo* zappatore; 3. *il* whisky; 4. *mio* padre;
5. *mia* madre; 6. (tutte e due); 7. (tutte e due); 8. *il* wargame;
9. *gli* dei; 10. *lo* iodio; 11. *lo* chiffon; 12. *il* chupito.

Ecco le regole per scegliere l'articolo da usare:

Risposte 1, 2 e 10. Davanti a una parola che comincia per *n* palatale (appunto il suono *gn* di *gnocco*), per *z* o per *i* seguita da un'altra vocale (come in *iodio*), l'articolo determinativo maschile è *lo* al singolare e *gli* al plurale.

Risposte 3 e 8. Con le parole di origine inglese inizianti per *w* (come *whisky* e *wargame*), oggi si adopera *il* come articolo determinativo maschile singolare e *i* come plurale.

Risposte 4, 5, 6 e 7. Con i quattro nomi di parentela *padre, madre, figlio* e *figlia* preceduti dai possessivi *mio, tuo, suo, nostro* e *vostro*, l'articolo va omesso; va invece espresso con le varianti affettive *babbo, papà, mamma, figliolo* e *figliola*. Le forme *mia mamma* e *mio papà* sono ammesse.

Risposta 9. Con *dei*, plurale di *dio*, l'articolo è *gli* e non *i*, come invece sarebbe naturale. Alle origini di quest'uso c'è la forma antica o letteraria *iddio*, il cui plurale era *iddei*: da *l'iddio/gl'iddei* si è passati, attraverso una grafia impropria, a *gli dei*.

Risposte 11 e 12. Con le parole straniere si usa lo stesso articolo che si troverebbe davanti a una parola iniziante con lo stesso suono: così *chiffon* ha l'articolo *lo* (come *lo sci*), mentre *chupito* ha l'articolo *il* (come *il ciuco*).

Punteggio

1	2	3	4	5	6	7	8	9	10	11	12	**T**

6

Viva la differenza

Che differenza c'è fra...

1. *un cappello e una cappella?*
2. *un cavalletto e una cavalletta?*
3. *il cero e la cera?*
4. *un colletto e una colletta?*
5. *il collo e la colla?*
6. *un colpo e una colpa?*
7. *un corso e una corsa?*
8. *un foglio e una foglia?*
9. *il mento e la menta?*
10. *un mostro e una mostra?*
11. *il panno e la panna?*
12. *un pianto e una pianta?*

Per conquistare il punto è sufficiente indicare un significato per ciascuna delle due parole.

Soluzioni

1. La parola *cappello* non ha bisogno di molte spiegazioni: indica l'indumento che si mette sulla testa nelle sue varie forme. La *cappella* è una piccola chiesa, che può essere un edificio autonomo oppure può far parte di una chiesa più grande o di un altro edificio (per esempio, un ospedale o una scuola). Si chiama *cappella* anche la parte superiore di un fungo o di un chiodo.

2. Il *cavalletto* è una struttura a due o tre piedi che serve a sostenere un oggetto (una macchina fotografica, una lavagna, una moto, un'asse di legno, una lastra di vetro, un quadro, eccetera). La *cavalletta* è un insetto.

3. Il *cero* è una candela un po' più grossa; la *cera*, invece, è una sostanza naturale o sintetica. Ne esistono di vari tipi, usati per scopi diversi: fabbricare candele, lucidare scarpe, superfici, eccetera.

4. Il *colletto* è la parte del vestito o della camicia che sta intorno al collo; la *colletta* è una raccolta di denaro o di altri beni che si fa per beneficenza.

5. La parola *collo* indica la parte del corpo fra la testa e il busto e, per estensione, anche la parte assottigliata di altri organi (il piede, l'utero) e la parte allungata e ristretta di oggetti vari (una bottiglia, un vaso, eccetera). La *colla* è una sostanza adesiva.

6. Un *colpo* è il movimento rapido e violento di un corpo o di un elemento naturale, generalmente contro un altro corpo (*un colpo di bastone, di frusta, di pedale, di reni, di testa, di vento*, eccetera); in senso figurato, si parla anche di *colpo di fortuna, di fulmine, di scena*; è un *colpo* anche una forte emozione (*un colpo al cuore*) o un'azione improvvisa con

scopi criminali (*un colpo in gioielleria*). La *colpa*, invece, è un comportamento che va contro una legge morale, giuridica o religiosa.

7. La parola *corso* può indicare: a) il procedere del tempo, di un'attività, di un fenomeno (*il corso dei secoli, della vita, di una malattia*); b) una serie ordinata di lezioni (*corso di inglese, di cucina*); c) una grande strada cittadina (*Corso Garibaldi*); l'insieme delle acque in movimento (*il corso di un fiume*). La *corsa* è l'andatura veloce di uomini, animali o veicoli (*una corsa in moto*) o anche una gara di velocità (*una corsa a ostacoli*).

8. Il *foglio* è un pezzo di carta rettangolare; la *foglia* è la parte di una pianta (*una foglia di fico*) oppure una lamina sottilissima di metallo (*la foglia d'oro*).

9. Il *mento* è la parte inferiore del viso che si trova sotto la bocca; la *menta* è una pianta o una bevanda fatta con lo sciroppo che si ricava da questa pianta.

10. Il *mostro* è un essere, reale o fantastico, che presenta forme strane o innaturali (*il mostro di Lochness*); estensivamente, la parola può indicare una persona molto brutta (*quell'uomo è un mostro*), una che si distingue positivamente in qualche attività (*Luigi è un mostro in chimica*) o anche chi si è macchiato di delitti orrendi (*il mostro di Milwaukee*). La *mostra* è invece un'esposizione di qualcosa (*mostra campionaria, di quadri, di cani*, eccetera).

11. Il *panno* è un tessuto (o un pezzo di tessuto), generalmente di lana; la *panna* è la parte grassa del latte.

12. Il *pianto* è l'atto del piangere. *Pianta* è il nome generico con cui si indica qualunque organismo vegetale. La *pianta del piede*, invece, è la sua parte inferiore, quella che poggia a terra quando si cammina. Infine, la *pianta* è anche la proiezione in

piano e in scala di un edificio (una chiesa, una casa, eccetera) o la rappresentazione in scala di una zona (un terreno, una città, eccetera).

Punteggio

1	2	3	4	5	6	7	8	9	10	11	12	T

7

Plurali complicati

Qual è il plurale di…

1. l'arancia?
2. l'asparago?
3. il belga?
4. la belga?
5. il collega?
6. la collega?
7. il comma?
8. la frangia?
9. il monologo?
10. la roccia?
11. la salsiccia?
12. la loggia?

Soluzioni

1. le arance; 2. gli asparagi; 3. i belgi; 4. le belghe; 5. i colleghi;
6. le colleghe; 7. i commi; 8. le frange; 9. i monologhi;
10. le rocce; 11. le salsicce; 12. le logge.

Le regole per la formazione del plurale sono le seguenti:

Risposte 1, 8, 10, 11 e 12. Le parole che terminano in *-cia* e in *-gia* precedute da una consonante (come *arancia*, *frangia*, *roccia*, *salsiccia* e *loggia*) hanno il plurale in *-ce* e in *-ge*.

Risposta 2. Diversi nomi in *-co* e in *-go* hanno un doppio plurale (*il chirurgo/i chirurghi* e [raro] *i chirurgi, il farmaco/i farmaci* e [raro] *i farmachi, il manico/i manici* e [raro] *i manichi*), ma non *asparago*, che al plurale è solo *asparagi*.

Risposte 3, 4, 5 e 6. I nomi che al singolare terminano in *-ga* (*collega*) al plurale escono in *-ghi* se sono maschili (*i colleghi*) e in *-ghe* se sono femminili (*le colleghe*). L'unica eccezione è *belga*, che al maschile plurale è *belgi* e al femminile plurale regolarmente *belghe*.

Risposta 7. Il plurale di *comma* è *commi*, così come per tutti i nomi maschili che terminano in *a*: *papa/papi, problema/problemi, panorama/panorami*, eccetera.

Risposta 9: i nomi in *-logo* che indicano persone hanno di solito un doppio plurale (*archeologo > archeologi/archeologhi; psicologo > psicologi/psicologhi; sociologo > sociologi/sociologhi*); i nomi in *-logo* che indicano cose tendono ad avere il plurale in *-ghi* (*catalogo > cataloghi; decalogo > decaloghi*).

Punteggio

1	2	3	4	5	6	7	8	9	10	11	12	**T**

8

Aggettivamente

Che cosa significa...

1. alto mare?
2. bella vita?
3. bel mondo?
4. buone maniere?
5. brutto male?
6. dolce vita?
7. gentil sesso?
8. povero diavolo?
9. quarto mondo?
10. quarto potere?
11. sesso forte?
12. vecchia guardia?

Soluzioni

1. L'*alto mare* è la zona del mare lontana dalla costa; in questo caso *alto* significa 'profondo'.
2. La *bella vita* è una vita agiata, comoda o, anche, mondana.
3. Il *bel mondo* è l'alta società.
4. Le *buone maniere* sono i modi educati e cortesi.
5. *Brutto male* è un'espressione colloquiale che si usa per evitare la parola *cancro*, percepita come troppo cruda.
6. La *dolce vita* è un modo di vivere agiato, rilassato e spensierato. L'espressione si è diffusa con il film *La dolce vita* di Federico Fellini, del 1960.
7. *Gentil sesso* è un'espressione stereotipata che indica le donne.
8. Un *povero diavolo* è un uomo sfortunato, che suscita compassione negli altri.
9. Il *quarto mondo* è l'insieme dei Paesi più poveri della Terra, privi anche di risorse naturali.
10. Il *quarto potere* è quello dei mezzi di comunicazione di massa che influenzano l'opinione pubblica; *quarto* perché viene dopo i tre fondamentali – legislativo, esecutivo, giudiziario –, sulla cui separazione si fonda lo Stato democratico.
11. *Sesso forte* è un'espressione che indica il sesso maschile, a cui un vecchio ma radicato modo di pensare attribuisce più forza che alle donne, a loro volta indicate come *sesso debole*.
12. La *vecchia guardia* sono i più anziani e fedeli seguaci di un partito, un movimento, un'associazione, o anche i più anziani dipendenti di un'azienda.

Punteggio

1	2	3	4	5	6	7	8	9	10	11	12	T

9

Comparativi e superlativi

Qual è l'equivalente di...

1. più buono?
2. più cattivo?
3. più grande?
4. più piccolo?
5. buonissimo?
6. cattivissimo?
7. grandissimo?
8. piccolissimo?

E si può dire...

9. più maggiore?
10. più peggiore?
11. più ottimo?
12. più minimo?

Soluzioni

1. migliore; 2. peggiore; 3. maggiore; 4. minore; 5. ottimo;
6. pessimo; 7. massimo; 8. minimo; 9. no; 10. no; 11. no; 12. no.

Ecco la spiegazione:

Buono, cattivo, grande e *piccolo* presentano, accanto alla forma normale di comparativo (*più buono*, eccetera) e superlativo (*buonissimo*, eccetera), anche una forma in più, derivata direttamente dal latino e costituita da una radice diversa da quella del grado positivo. Dai comparativi *meliorem, peiorem, maiorem, minorem* e dai superlativi *optimum, pessimum, maximum, minimum* in italiano si sono avuti *migliore, peggiore, maggiore, minore* (che equivalgono a *più buono, più cattivo, più grande, più piccolo*) e *ottimo, pessimo, massimo, minimo* (che equivalgono a *buonissimo, cattivissimo, grandissimo, piccolissimo*). Quindi non si può dire *più maggiore, più peggiore, più ottimo, più minimo*: equivarrebbe a dire *più più grande, più più cattivo, più buonissimo, più piccolissimo*.

Punteggio

1	2	3	4	5	6	7	8	9	10	11	12	T

10

Professione: verbo
Stato civile: coniugato

Qual è la prima persona singolare del futuro di...

1. adempiere?
2. bere?
3. contrarre?
4. divellere?
5. divenire?
6. equivalere?
7. giacere?
8. indulgere?
9. parere?
10. proludere?
11. tenere?
12. valere?

Soluzioni

1. adempirò; 2. berrò; 3. contrarrò; 4. divellerò; 5. diverrò;
6. equivarrò; 7. giacerò; 8. indulgerò; 9. parrò; 10. proluderò;
11. terrò; 12. varrò.

Punteggio

1	2	3	4	5	6	7	8	9	10	11	12	T

11

Scusi, ha visto passare un participio?

Qual è il participio passato di...

1. ardere?
2. comparire?
3. dedurre?
4. deprimere?
5. devolvere?
6. dissolvere?
7. distorcere?
8. espellere?
9. flettere?
10. ledere?
11. mungere?
12. prefiggere?

Soluzioni

1. arso; 2. comparso; 3. dedotto; 4. depresso; 5. devoluto;
6. dissolto; 7. distorto; 8. espulso; 9. flesso; 10. leso; 11. munto;
12. prefisso.

Punteggio

1	2	3	4	5	6	7	8	9	10	11	12	T

12

Un tuffo nel passato (remoto)

Qual è il passato remoto di...

1. cadere?
2. attendere?
3. bere?
4. conoscere?
5. dirigere?
6. fondere?
7. mordere?
8. permettere?
9. pervenire?
10. ridere?
11. stare?
12. togliere?

Coniugate tutte le persone.

Soluzioni

1. caddi, cadesti, cadde, cademmo, cadeste, caddero.
2. attesi, attendesti, attese, attendemmo, attendeste, attesero.
3. bevvi, bevesti, bevve, bevemmo, beveste, bevvero.
4. conobbi, conoscesti, conobbe, conoscemmo, conosceste, conobbero.
5. diressi, dirigesti, diresse, dirigemmo, dirigeste, diressero.
6. fusi, fondesti, fuse, fondemmo, fondeste, fusero.
7. morsi, mordesti, morse, mordemmo, mordeste, morsero.
8. permisi, permettesti, permise, permettemmo, permetteste, permisero.
9. pervenni, pervenisti, pervenne, pervenimmo, perveniste, pervennero.
10. risi, ridesti, rise, ridemmo, rideste, risero.
11. stetti, stesti, stette, stemmo, steste, stettero.
12. tolsi, togliesti, tolse, togliemmo, toglieste, tolsero.

Punteggio

1	2	3	4	5	6	7	8	9	10	11	12	T

13

Ma mi facci il piacere!

Qual è il congiuntivo presente di...

1. assuefare?
2. cuocere?
3. distrarre?
4. fare?
5. giacere?
6. morire?
7. scegliere?
8. spiacere?
9. tacere?
10. togliere?
11. volere?
12. volgere?

Coniugate solo la prima persona.

Soluzioni

1. assuefaccia; 2. cuocia; 3. distragga; 4. faccia; 5. giaccia;
6. muoia; 7. scelga; 8. spiaccia; 9. taccia; 10. tolga; 11. voglia;
12. volga.

Punteggio

1	2	3	4	5	6	7	8	9	10	11	12	T

14

Grammaticherie

Si dice…

1. figlio *di* o figlio *a*?
2. *chiamare* Giuseppe o *chiamare a* Giuseppe?
3. *il* diabete o *la* diabete?
4. *contro* me o *contro di* me?
5. sparare *qualcuno* o sparare *a qualcuno*?
6. *vicino* Roma o *vicino a* Roma?
7. beato *te* o beato *a te*?
8. *gratis* o *a gratis*?

Si può dire…

9. «Sono amica *con* Anna»?

E si scrive…

10. *finora* o *fin ora*?
11. *ventitre* o *ventitré*?
12. *un* eco o *un'*eco?

Soluzioni

1. Si può dire e scrivere solo **figlio di**. Come con gli altri nomi di parentela (padre, madre, genero, cognato, zia, nipote, eccetera), la preposizione richiesta è *di*. L'abitudine di indicare la relazione di parentela con *a* anziché con *di*, diffusa in alcuni dialetti del Centro e del Sud, in italiano non è accettabile.
2. **Chiamare Giuseppe**, senza la preposizione *a*. Il verbo *chiamare* è transitivo: regge il complemento oggetto diretto, senza preposizioni. L'abitudine di premettere al complemento oggetto la preposizione *a*, tipica dell'italiano parlato in alcune regioni del Sud, è scorretta.
3. *Diabete* è maschile, dunque si deve dire **il diabete**.
4. La preposizione **contro**, quando è seguita da pronomi personali, deve essere collegata a questi per mezzo della preposizione **di**: *Sono tutti contro di me; Si è gettato contro di lui; Non ha nulla contro di loro*, e non: *Sono tutti contro me; Si è gettato contro lui; Non ha nulla contro loro*.
5. Si dice **sparare a qualcuno**. Il verbo *sparare* ammette il complemento oggetto (*sparare un colpo, una cannonata*, eccetera), ma non in riferimento al bersaglio: il bersaglio deve essere sempre preceduto da *a* (*sparare a un uomo, a un'ombra, a un animale*, eccetera). Il tipo *sparare qualcuno*, non raro in alcune regioni d'Italia ma estraneo alla lingua corretta, si spiega con il fatto che anticamente *sparare* valeva 'sventrare', 'squarciare', e questo significato non richiedeva la preposizione *a*: *sparare un maiale, un orso, una volpe*, eccetera.
6. Bisogna sempre dire e scrivere **vicino a** Roma, *vicino a casa, vicino a noi, vicino a qui*.
7. L'espressione corretta è **beato te**; *beato a te* nasce da un'interferenza dialettale meridionale.

8. Si dice **_gratis_**. Questo avverbio significa 'gratuitamente', e deriva dall'espressione latina _gratiis_, cioè 'per le grazie', 'graziosamente'; non deve mai essere preceduto da _a_, perché sarebbe come se dicessimo (e scrivessimo) _a gratuitamente_. Forse il tipo sbagliato _a gratis_ è diffuso per imitazione di altre espressioni in cui è presente, in modo del tutto corretto, la preposizione _a_: _a pagamento_, _a rate_, _a poco prezzo_, e dunque, per analogia, _a gratis_.

9. No, bisogna dire e scrivere: _Sono amica **di** Anna_. L'abitudine di indicare la relazione di amicizia tramite _con_ anziché tramite _di_, diffusa in alcuni dialetti del Centro e del Sud, in italiano non è accettabile.

10. Solo unito: **_finora_**.

11. **_Ventitré_**. Il numero _tre_, preso da solo, non va accentato; i numeri composti che finiscono con _tre_, invece, sì. Questo dipende dal fatto che in italiano, sulle parole formate da una sola sillaba l'accento, tranne che in casi particolari, non va segnato; invece, è obbligatorio segnarlo sulle parole di più sillabe accentate sull'ultima, come _ventitré_, _trentatré_, _quarantatré_, eccetera.

12. _Eco_ è femminile: **_l'/un'eco_**.

Punteggio

1	2	3	4	5	6	7	8	9	10	11	12	**T**

15

Ipse dixit

Correggete le bestialità dette o scritte da questi personaggi pubblici:

1. «Se i soldi non c'è l'hanno non li spendono.» (Flavio Briatore)
2. «Lei abbi la bontà di lasciarmi parlare.» (Domenico Scilipoti)
3. «Vadano avanti, lavorino, concorrino al clima di pacificazione.» (Pier Ferdinando Casini)
4. «Tu conobbi Giovanni Paolo II un anno prima di quando divenne papa.» (Pierluigi Diaco)
5. «Vorrei che la cultura si dasse questa dimensione anagrafica.» (Massimiliano Finazzer Flory)
6. «Diino prova di coraggio e diino prova soprattutto anche di rispetto di una persona che le ha guidate.» (Lapo Elkann)
7. «Gli atleti che corrono fanno il loro lavoro ed è giusto che si lascino proséguere.» (Renzo Bossi)
8. «A me hanno imparato che quando si fanno le

scelte politiche e personali prima bisogna mettere in prima fila le urgenze che pone la vita.» (Nicola Zingaretti)

9. «Non lasciamo cadere nell'indifferenza il fatto che 'un'ente' locale – ripeto, 'un'ente' locale – dia spazio, a Milano, oggi, a chi predica il razzismo.» (Stefano Boeri)

10. «Posso dire a gran voce senza temere smentite di non aver mai censurato nessuno né su Twitter n'è su Facebook.» (Barbara D'Urso)

11. «Ogni uno è libero di esprimere il proprio pensiero su di me e su quello che faccio.» (Barbara D'Urso)

12. «Quali sono le dote più apprezzate degli italiani?» (Emanuele Filiberto di Savoia)

Soluzioni

1. «Se i soldi non *ce* l'hanno non li spendono.»
2. «Lei *abbia* la bontà di lasciarmi parlare.»
3. «Vadano avanti, lavorino, *concorrano* al clima di pacificazione.»
4. «Tu *conoscesti* Giovanni Paolo II un anno prima di quando divenne papa.»
5. «Vorrei che la cultura si *desse* questa dimensione anagrafica.»
6. «*Diano* prova di coraggio e *diano* prova soprattutto anche di rispetto di una persona che le ha guidate.»
7. «Gli atleti che corrono fanno il loro lavoro ed è giusto che si lascino *proseguire.*»
8. «A me *hanno insegnato* che quando si fanno le scelte politiche e personali prima bisogna mettere in prima fila le urgenze che pone la vita.»
9. «Non lasciamo cadere nell'indifferenza il fatto che '*un ente*' locale – ripeto, '*un ente*' locale – dia spazio, a Milano, oggi, a chi predica il razzismo.»
10. «Posso dire a gran voce senza temere smentite di non aver mai censurato nessuno né su Twitter *né* su Facebook.»
11. «*Ognuno* è libero di esprimere il proprio pensiero su di me e su quello che faccio.»
12. «Quali sono *le doti* più apprezzate degli italiani?»

Punteggio

1	2	3	4	5	6	7	8	9	10	11	12	**T**

45

16

Siamo tutti lessicografi

Definite queste parole:

1. efebo
2. garbuglio
3. gleba
4. lastrico
5. loggia
6. motto
7. necropoli
8. obliterare
9. opulenza
10. paccottiglia
11. pastrano
12. pelandrone

Soluzioni

1. 'Ragazzo dall'aspetto delicato, quasi femmineo.' Alla base della parola italiana c'è il termine greco *ephebos*, che in latino è diventato *ephebum*.

2. 'Groviglio', 'intrico'; 'faccenda complicata', 'disordine', 'confusione'. All'origine di *garbuglio* c'è l'antico verbo *garbugliare*, cioè 'ingarbugliare', che a sua volta derivava dal verbo latino *bullare* (= 'far bolle', 'ribollire').

3. 'Zolla di terra'; 'terreno'. La parola deriva dal latino *glebam*, che significava, appunto, zolla di terra (i *servi della gleba* erano, nel Medioevo, i contadini legati, di padre in figlio, a un terreno che non potevano abbandonare).

4. 'L'insieme delle lastre che formano il rivestimento del fondo stradale.' La parola deriva dal latino *astracum*, a sua volta derivato dal greco *ostrakon* (= 'coccio', 'conchiglia'), con cui anticamente si rivestivano i terrazzi.

5. 'Edificio aperto su uno o più lati, con copertura sorretta da pilastri o colonne'; 'balcone', 'terrazza'. Dall'antica parola germanica *laubja*, che significava 'pergola'.

6. 'Frase breve e spiritosa'; 'massima'. La parola deriva dal latino *muttum* (= 'borbottamento'), che a sua volta derivava dal verbo *muttire* (= 'parlare sottovoce').

7. 'Complesso di antiche sepolture, portato alla luce da scavi archeologici.' La parola ha la sua origine nel greco *nekropolis*, composta da *nekros* (= 'morto') e *polis* (= 'città').

8. 'Annullare con un timbro o con una macchinetta un biglietto, un francobollo, una marca da bollo, un biglietto dell'autobus, eccetera per evitare che venga riutilizzato.' La parola deriva dal verbo latino *obliterare*, composto da *ob* (= 'contro')

e *littera* (= 'lettera'), con il significato originario di 'togliere', 'cancellare le lettere'.

9. 'Ricchezza', 'sfarzo'; 'ridondanza'. All'origine di questa parola c'è il termine latino *opulentiam*, derivato da *opulentus*, che significava 'abbondante'.

10. 'Insieme di cose di poco valore e di cattivo gusto'; 'merce scadente e di nessun valore'. Nel Settecento i francesi hanno trasformato la parola spagnola *pacotilla* in *pacotille*, per indicare 'la quantità di merce che i marinai potevano imbarcare': da qui è nato il significato di 'roba scadente', passato poi anche nella parola italiana.

11. 'Cappotto da uomo', e specialmente quello usato, nel passato, dai militari. Sembra che questa parola sia nata dal nome di uno dei duchi di Pastrana, città nel cuore della Spagna. Probabilmente il duca spagnolo indossava cappotti di questo tipo.

12. 'Scansafatiche', 'fannullone', 'poltrone'. Si tratta della parola di origine piemontese *plandron*, che si è diffusa dagli inizi del Novecento anche nel resto d'Italia attraverso la vita militare. Qualche studioso la fa derivare da *plandra* (= 'sgualdrina').

Punteggio

1	2	3	4	5	6	7	8	9	10	11	12	**T**

17

Il vocabolario rovesciato

Quale parola corrisponde alle seguenti definizioni?

1. Chiosco o struttura mobile usata in luoghi pubblici, giardini, spiagge.
   a) capanno b) gazebo c) tensostruttura
2. Gruppo di persone che si riunisce per una gita, una festa, un viaggio.
   a) comitiva b) manipolo c) squadra
3. Fuoriuscita di materiale lavico dalla bocca di un vulcano.
   a) eruttazione b) emissione c) eruzione
4. Ordine di successione in base a un determinato criterio.
   a) graduatoria b) scaletta c) palinsesto
5. Discussione animata e aspra.
   a) divergenza b) malinteso c) diverbio
6. Finestra suddivisa in due aperture per mezzo di un colonnino centrale.
   a) nicchia b) bifora c) bocca di lupo

7. Escrescenza carnosa e rossa sul capo di polli e altri uccelli.

   a) cresta b) sperone c) bargiglio

8. L'insieme delle norme di buone maniere che regolano i rapporti tra le persone nella società.

   a) vademecum b) incunabolo c) galateo

9. Sollevazione popolare contro l'autorità.

   a) alterco b) guerriglia c) sommossa

10. Struttura a colonnette, che serve da parapetto o divisorio.

    a) balcone b) loggetta c) balaustra

11. Strumento di legno di forma cilindrica con cui si spiana la pasta sfoglia.

    a) mattarello b) schiumarola c) ramaiolo

12. Zainetto per portare bambini piccoli, indossato sul davanti.

    a) bisaccia b) marsupio c) ventriera

Soluzioni

1. b; 2. a; 3. c; 4. a; 5. c; 6. b; 7. a; 8. c; 9. c; 10. c; 11. a; 12. b.

Punteggio

1	2	3	4	5	6	7	8	9	10	11	12	T

18

L'intruso

Quale delle quattro parole non è un sinonimo delle altre?

1. a) imperioso b) dispotico c) autorevole
   d) autoritario
2. a) catastrofe b) calamità c) collisione d) disastro
3. a) detenuto b) mantenuto c) carcerato d) recluso
4. a) cura b) farmaco c) medicina d) medicamento
5. a) flebile b) febbrile c) fioco d) fievole
6. a) superbia b) furia c) rabbia d) ira
7. a) impacciato b) impicciato c) imbarazzato
   d) goffo
8. a) incolume b) indenne c) illeso d) perenne
9. a) sporco b) sozzo c) marcio d) lercio
10. a) malfattore b) delinquente c) farabutto
    d) maldicente
11. a) perfido b) lurido c) malvagio d) crudele
12. a) paga b) stipendio c) retribuzione d) obolo

Soluzioni

1. c. **Autorevole** è chi 'possiede un'autorità, un prestigio che gli viene da capacità e meriti reali'. Gli altri tre aggettivi indicano 'chi esercita la propria autorità in modo esagerato'.

2. c. **Collisione** significa 'urto', 'scontro fra due oggetti'; le altre parole rinviano al significato di 'evento disastroso e improvviso che porta alla rovina'.

3. b. **Mantenuto** significa 'che si fa mantenere'; *detenuto, carcerato* e *recluso* indicano chi è in prigione per scontare una pena.

4. a. Mentre **cura** indica l'insieme dei rimedi usati per guarire una malattia, *farmaco, medicina* e *medicamento* indicano le sostanze da usare nella cura stessa.

5. b. **Febbrile** significa 'caratterizzato da febbre' e, in senso figurato, 'intenso', 'instancabile'. *Flebile, fioco* e *fievole* rinviano al significato comune di 'debole', 'lieve', 'sommesso'.

6. a. **Superbia** è l'eccessiva considerazione di sé accompagnata dal disprezzo verso gli altri; *furia, rabbia* e *ira* indicano tutte e tre una fortissima manifestazione di collera.

7. b. **Impicciato** è chi è occupato da molti impegni noiosi; *impacciato, imbarazzato* e *goffo* è chi si muove in modo materialmente o psicologicamente maldestro.

8. d. **Perenne** significa 'destinato a durare sempre'; *incolume, indenne* e *illeso* si dicono di chi esce sano e salvo da un pericolo.

9. c. **Marcio** significa 'andato a male', 'guasto' o anche 'corrotto'; *sporco, sozzo* e *lercio* rinviano tutti e tre al concetto di sporcizia.

10. d. **Maldicente** è chi sparla degli altri; *malfattore, delinquente, farabutto* è chi fa del male agli altri.

11. b. **Lurido** significa 'molto sporco'; *perfido, malvagio* e *crudele* significano 'molto cattivo'.
12. d. L'**obolo** è un'offerta in denaro; la *paga*, lo *stipendio* e la *retribuzione* sono il compenso che il datore di lavoro dà a un lavoratore.

Punteggio

1	2	3	4	5	6	7	8	9	10	11	12	T

19

Parole firmate

Che cosa vuol dire…

1. boccaccesco?
2. botticelliano?
3. deamicisiano?
4. donchisciottesco?
5. fantozziano?
6. garibaldino?
7. giunonico?
8. hollywoodiano?
9. kafkiano?
10. lapalissiano?
11. luculliano?
12. machiavellico?

Soluzioni

1. 'Licenzioso', 'sboccato', 'salace' (come certe novelle di Giovanni Boccaccio).

2. 'Aggraziato', 'elegante', 'raffinato' (come una figura dipinta da Sandro Botticelli).

3. 'Sentimentale', 'moralistico', 'patetico' (come il libro *Cuore* di Edmondo De Amicis).

4. 'Generoso e idealista ma privo di senso pratico' (come Don Chisciotte, protagonista dell'omonimo romanzo di Miguel de Cervantes y Saavedra).

5. 'Goffo', 'impacciato' (come il ragionier Fantozzi, personaggio ideato e interpretato da Paolo Villaggio in alcuni film di grande successo).

6. 'Animoso', 'impetuoso', 'audace' (come Giuseppe Garibaldi, appunto).

7. Sempre riferito a una donna, 'prosperosa', 'formosa', 'imponente' (come la dea Giunone, così rappresentata nelle raffigurazioni classiche).

8. 'Spettacolare', 'appariscente', 'sontuoso' (come i film dell'industria cinematografica che ha il suo centro nel quartiere di Hollywood a Los Angeles, in California).

9. 'Angoscioso', 'assurdo', 'opprimente' (come l'atmosfera di alcuni racconti in cui lo scrittore praghese Franz Kafka descrisse il senso di oppressione dell'uomo contemporaneo).

10. 'Ovvio', 'evidente', 'scontato' (dal nome del capitano Jacques de Chabannes, signore di La Palice, con allusione ai versi di un'ingenua strofetta cantata dai soldati dopo la sua morte nella battaglia di Pavia nel 1525).

11. 'Abbondante', 'sfarzoso', 'sontuoso' (come i banchetti del

console romano Lucio Licinio Lucullo, famosi per il lusso e l'abbondanza di cibi succulenti).

12. 'Astuto', 'privo di scrupoli' (in base a un'interpretazione negativa e semplicistica del pensiero di Niccolò Machiavelli).

Punteggio

1	2	3	4	5	6	7	8	9	10	11	12	T

20

Dal nome proprio
al nome comune

Chi è...

1. un cicerone?
2. un mecenate?
3. un maciste?
4. un vulcano?
5. un attila?
6. un apollo?
7. un casanova?
8. un dongiovanni?
9. un fantozzi?
10. un donchisciotte?
11. una cassandra?
12. un fregoli?

Soluzioni

1. Una guida turistica, o anche una persona che fa da guida a qualcuno per amicizia in una città, in un museo, eccetera. Dal nome del filosofo e oratore Marco Tullio Cicerone, famoso per la straordinaria eloquenza.

2. Una persona che protegge artisti, musicisti, eccetera. Dal nome di Mecenate, ricco amico dell'imperatore Augusto, protettore dei poeti Virgilio e Orazio.

3. Un uomo molto robusto e straordinariamente forte. Dal nome di Maciste, personaggio creato da Gabriele D'Annunzio per la sceneggiatura del film *Cabiria* e in seguito personaggio di altri film storici.

4. Una persona piena di iniziativa, di entusiasmo, di energia. Dal nome di Vulcano, dio del fuoco.

5. Una persona che devasta, rompe o distrugge tutto quello che tocca. Dal nome di Attila, re degli Unni, famoso per la fama di devastatore.

6. Un uomo molto bello. Dal nome di Apollo, dio del sole, delle arti e della profezia, famoso per la straordinaria bellezza.

7. Un seduttore, un donnaiolo. Dal nome di Giacomo Casanova, famoso scrittore e avventuriero veneziano.

8. Un galante corteggiatore di donne. Dal nome di Don Giovanni Tenorio, personaggio del *Burlador de Sevilla* di Tirso de Molina.

9. Una persona goffa come il ragioner Ugo Fantozzi, l'impiegato ossequioso nei confronti dei superiori inventato e interpretato dall'attore Paolo Villaggio.

10. Una persona facile agli entusiasmi, che difende ideali nobili ma irraggiungibili. Dal nome di Don Chisciotte, protago-

nista dell'omonimo romanzo di Miguel de Cervantes y Saavedra.

11. Una persona che prevede sventure e disgrazie, senza che mai nessuno le creda. Dal nome di Cassandra, figlia del re Priamo, le cui profezie sulla distruzione di Troia non furono credute.

12. Una persona che cambia rapidamente opinione a seconda delle circostanze; trasformista. Dal nome dell'attore Leopoldo Fregoli (1867-1936), famoso per le rapidissime trasformazioni di costume e di trucco.

Punteggio

1	2	3	4	5	6	7	8	9	10	11	12	T

21

Gratta e vinci 1

Chi si nasconde sotto questi soprannomi o giri di parole?

1. il Padre della lingua italiana
2. il Poverello d'Assisi
3. l'Abatino
4. il Papa buono
5. la Tigre di Cremona
6. el Pibe de Oro
7. il Casco d'oro
8. il Segretario fiorentino
9. il Temporeggiatore
10. il Padre degli dei
11. la Voce
12. l'Aedo

Soluzioni

1. Dante Alighieri, che esaltò e fece trionfare il volgare.
2. San Francesco, nato ad Assisi, soprannominato così perché fece voto di povertà.
3. Il calciatore Gianni Rivera, soprannominato in questo modo dal giornalista Gianni Brera per la compostezza dei modi e l'eleganza dello stile.
4. Papa Giovanni XXIII, per la sua capacità di entrare in contatto con i fedeli attraverso parole e gesti semplici e affettuosi.
5. La cantante Mina, soprannominata così perché è nata a Cremona e per la vivacità e forza del suo modo di cantare.
6. Il calciatore Diego Armando Maradona, detto «il Ragazzo d'oro» per le straordinarie capacità nel gioco del calcio.
7. La cantante Caterina Caselli, soprannominata così per i capelli biondissimi e tagliati a caschetto.
8. Lo scrittore fiorentino Niccolò Machiavelli, passato alla storia con questo soprannome perché fu segretario della seconda cancelleria della Repubblica fiorentina.
9. Il politico e generale romano Quinto Fabio Massimo, così chiamato per la tattica di temporeggiamento adottata contro Annibale durante la seconda guerra punica.
10. Zeus, che nella mitologia greca era il padre di uomini e dei.
11. Il cantante Frank Sinatra, detto «the Voice» per la qualità della sua voce.
12. Omero, così definito fin dall'antichità perché poeta e recitatore dei propri versi (mentre il rapsodo recitava i canti altrui).

Punteggio

1	2	3	4	5	6	7	8	9	10	11	12	**T**

22

Gratta e vinci 2

Chi o che cosa si nasconde sotto questi soprannomi o giri di parole?

1. il Recanatese
2. la Rossa
3. l'Avvocato
4. il Cavaliere
5. il Nizzardo
6. il Molleggiato
7. er Pupone
8. il Certaldese
9. il Mahatma
10. l'inquilino del Colle
11. l'Astigiano
12. l'Urbinate

Soluzioni

1. Il poeta Giacomo Leopardi, nato a Recanati.
2. L'automobile Ferrari di Maranello, tradizionalmente di colore rosso.
3. Giovanni Agnelli, perché laureato in giurisprudenza.
4. Silvio Berlusconi, in quanto cavaliere della Repubblica italiana.
5. Giuseppe Garibaldi, perché nato a Nizza.
6. Adriano Celentano, per il modo sciolto e dinoccolato di muoversi e di ballare.
7. Francesco Totti, per l'aspetto simpaticamente infantile, da bambino («pupo» in romanesco).
8. Giovanni Boccaccio, dal nome di Certaldo, paese di origine della famiglia paterna, dove lo scrittore morì.
9. Gandhi, chiamato così perché considerato guida spirituale dell'India (il titolo di mahatma era dato in India agli asceti venerati pubblicamente).
10. Il presidente della Repubblica, perché risiede nel palazzo situato sul colle del Quirinale.
11. Lo scrittore Vittorio Alfieri, nato ad Asti.
12. Il pittore Raffaello Sanzio, nato a Urbino.

Punteggio

1	2	3	4	5	6	7	8	9	10	11	12	**T**

23

Uno zoo di parole

Chi è o che cos'è...

1. un vitellone?
2. l'amico del giaguaro?
3. un'anatra zoppa?
4. l'araba fenice?
5. l'asino di Buridano?
6. il canto del cigno?
7. un brutto anatroccolo?
8. le zebre?
9. un cane sciolto?
10. un barbagianni?
11. un pulcino bagnato?
12. un capro espiatorio?

Soluzioni

1. Un giovane di provincia sfaccendato, che rimanda sempre il momento di prendersi responsabilità e crescere (dal titolo del film di Federico Fellini, *I vitelloni*, del 1953).

2. Chi, invece di appoggiare un amico, sta dalla parte dell'avversario (in origine la frase indicava chi, discutendo di una spedizione di caccia grossa, prendeva le difese della preda, in questo caso un giaguaro, contro il cacciatore).

3. Una persona inefficiente, incapace (l'espressione viene dal linguaggio giornalistico, ed è la traduzione dell'inglese *lame duck*).

4. Una cosa o persona irreale, introvabile o molto rara (la fenice, nel mito classico, era un uccello favoloso, che viveva in Arabia e ogni cinquecento anni si dava fuoco su un rogo per poi rinascere dalle proprie ceneri).

5. Una persona che si trova di fronte a due alternative e non sa scegliere (l'espressione deriva da un paradosso attribuito al filosofo francese Jean Buridan, vissuto tra il 1295 e il 1361, secondo cui un asino, di fronte a due mucchi identici di fieno, non riesce a scegliere a quale accostarsi e muore di fame).

6. L'ultima opera importante di una persona prima della morte, specialmente con riferimento a un artista (l'espressione è nata da un'antica leggenda secondo la quale il cigno, prima di morire, emetterebbe un canto melodioso).

7. Una persona che si sente discriminata, rifiutata dagli altri per la sua bruttezza o per un senso di inferiorità (dal titolo di una famosa favola di Hans Christian Andersen, in cui si racconta di un brutto anatroccolo respinto da tutti, finché si trasforma in uno splendido cigno bianco).

8. Il passaggio pedonale delimitato da strisce bianche sul fon-

do scuro dell'asfalto (per la somiglianza con il manto delle zebre).

9. Una persona non allineata alle posizioni di un gruppo, che opera svincolata da qualsiasi corrente o organizzazione (l'espressione fu coniata nel 1960, durante il governo presieduto da Fernando Tambroni, che per radunare voti li andò a cercare tra i parlamentari non allineati, detti appunto, da allora in poi, *cani sciolti*).

10. Un uomo sciocco, balordo, credulone (l'uso del termine è nato forse dallo sguardo fisso di questo uccello, collegato con l'espressione ottusa di chi capisce poco. In ogni caso la parola è composta da *barba*, che nell'Italia settentrionale significa 'zio', e dal nome *Gianni*, quindi scherzosamente significa 'zio Gianni').

11. Una persona impacciata, timida, a disagio. L'espressione fa riferimento all'aspetto che il pulcino ha alla nascita, e spesso è usata per indicare un giovane inesperto che deve affrontare situazioni nuove.

12. Una persona che paga per gli errori commessi da altri (l'espressione deriva dalla tradizione religiosa ebraica, che prevedeva l'uccisione di un capro – il maschio della capra – come sacrificio a Dio per ottenere il perdono delle colpe commesse da chi faceva l'offerta).

Punteggio

1	2	3	4	5	6	7	8	9	10	11	12	T

24

Va' a saperlo!

Definite le seguenti parole:

1. abbaino
2. apnea
3. argine
4. dilettante
5. dopare
6. fervorino
7. libidine
8. lucro
9. paria
10. tornello
11. ultimatum
12. vello

Soluzioni

1. L'*abbaino* è una soffitta abitabile. Il termine deriva da *abbaén*, che nel dialetto genovese significava 'abatino': le lastre d'ardesia che, soprattutto in Liguria, coprivano gli abbaini assomigliavano, nella disposizione e nel colore, al cappuccio dei frati.

2. La parola *apnea* significa 'sospensione della respirazione'. Deriva da *a*- privativo e dal verbo greco *pneo*, che voleva dire 'respirare'.

3. L'*argine* è il rialzo costruito lungo un fiume per contenere le piene e, per estensione, qualunque tipo di limite materiale o figurato. All'origine di questa parola c'è il verbo *gerere*, che in latino significava 'portare', 'accumulare'.

4. Il *dilettante* è la persona che svolge un'attività sportiva o artistica non per professione ma per puro piacere personale: per *diletto*, appunto.

5. *Dopare* vuol dire 'somministrare sostanze medicinali a un atleta per migliorarne il rendimento'. Il verbo è un adattamento dell'inglese *to dope* (= 'drogare').

6. Il *fervorino* è un discorsetto di esortazione o ammonimento. È un diminutivo di *fervore*, che significa 'ardore', appunto il sentimento che il fervorino dovrebbe suscitare. Fino a qualche tempo fa, il fervorino era il discorso breve che il sacerdote rivolgeva a coloro che ricevevano la prima comunione o la cresima per risvegliare in loro la fede.

7. La *libidine* è: a) una 'voglia smodata di piaceri sessuali'; b) un 'desiderio smodato e irrequieto di qualcosa'. Il termine riprende il latino *libidinem* (= 'piacere'), a sua volta derivato dal verbo *libet*, che in latino significava 'piace'.

8. *Lucro* vuol dire 'guadagno', 'vantaggio economico'. La parola deriva dal latino *lucrum*.

9. In India, il *paria* è una persona che appartiene alle caste più basse della società; in italiano indica, per estensione, una persona socialmente emarginata. La parola viene dall'inglese *pariah*, che a sua volta è un adattamento del tamil *parayan*, cioè 'tamburino': un tempo, infatti, i paria erano incaricati di suonare il tamburo nelle feste popolari.

10. Il *tornello* è un congegno girevole di metallo che permette il passaggio di una sola persona alla volta. Deriva da *tornare* nel senso di 'girare'.

11. L'*ultimatum* è una proposta definitiva, sono le ultime condizioni di un possibile accordo, respinte le quali si minaccia di rompere i negoziati o di ricorrere alla forza. Si tratta di una parola latina di creazione moderna, derivata dall'aggettivo *ultimus*, che significa 'estremo', 'finale', 'ultimo'.

12. Il *vello* è il manto di lana che copre la pecora, il montone o la capra. Viene da *vellus*, che in latino significava 'lana tosata', 'strappata'.

Punteggio

1	2	3	4	5	6	7	8	9	10	11	12	T

25

Geografia delle parole

1. *bustarella* è una parola di origine milanese, piemontese o romanesca?
2. *caldarrosta* è una parola di origine romanesca, bolognese o bergamasca?
3. *camallo* è una parola di origine veneziana, toscana o genovese?
4. *carruggio* è una parola di origine milanese, toscana o ligure?
5. *cencio* è una parola di origine toscana, veneta o calabrese?
6. *malmostoso* è una parola di origine marchigiana, lombarda o pugliese?
7. *malocchio* è una parola di origine molisana, siciliana o napoletana?
8. *mugugno* è una parola di origine piemontese, genovese o veneta?
9. *orbace* è una parola di origine siciliana, napoletana o sarda?
10. *pizzino* è una parola di origine napoletana, siciliana o romanesca?

11. *rosetta* è una parola di origine emiliana, pugliese o romanesca?
12. *zinale* è una parola di origine calabrese, romanesca o romagnola?

Soluzioni

1. È una parola di origine romanesca, che significa 'compenso illecito dato sottomano per ottenere favori'.
2. È una parola di origine romanesca, che significa 'castagna arrostita'.
3. È una parola di origine genovese, che significa 'scaricatore di porto'.
4. È una parola di origine ligure, che significa 'stradina stretta'.
5. È una parola di origine toscana, che significa 'straccio', 'pezzo di stoffa usato per pulire o spolverare'.
6. È una parola di origine lombarda, che significa 'scontroso', 'scorbutico'.
7. È una parola di origine napoletana, che significa 'influsso malefico'.
8. È una parola di origine genovese che significa 'brontolio'.
9. È una parola di origine sarda, che significa 'tessuto di lana grezza'.
10. È una parola di origine siciliana che significa 'breve scritto in codice usato dai mafiosi'.
11. È una parola di origine romanesca che significa 'panino rotondo'.
12. È una parola di origine romanesca che significa 'grembiule'.

Punteggio

1	2	3	4	5	6	7	8	9	10	11	12	T

26

Chi le capisce è bravo

Queste parole vengono dal gergo della malavita, da quello dei tossicodipendenti o dal più innocente linguaggio dei giovani. Che cosa significa...

1. caramba?
2. carubba?
3. ciucca?
4. cozza?
5. cuccare?
6. ganzo?
7. matusa?
8. pula?
9. sfigato?
10. sgamare?
11. svalvolare?
12. tamarro?

Soluzioni

1. Carabiniere.
2. Carabiniere.
3. Sbornia, ubriacatura.
4. Ragazza molto brutta.
5. Ingannare; fare conquiste amorose, rimorchiare.
6. Simpatico, in gamba.
7. Persona considerata vecchia e superata.
8. Polizia.
9. Sfortunato, iellato; maldestro.
10. Scoprire quello che qualcuno vuole nascondere; cogliere sul fatto.
11. Andare fuori di testa, dare di matto.
12. Ragazzo di periferia, che segue la moda nei suoi aspetti più scadenti.

Punteggio

1	2	3	4	5	6	7	8	9	10	11	12	T

27

Le parole dei nonni

Parole ed espressioni ormai in disuso. Chi è in grado di spiegare il significato di...

1. bagattella?
2. balocco?
3. bighellone?
4. birba?
5. bubbola?
6. busse?
7. gagà?
8. giannetta?
9. grullo?
10. lestofante?
11. moina?
12. uzzolo?

Soluzioni

1. 'Cosa di nessuna importanza.' Parola di origine discussa: qualche studioso la fa derivare da *bagatto* (= 'giocoliere' nel gioco dei tarocchi); qualche altro parte dall'antica parola *baga* (= 'cosa da nulla').

2. 'Giocattolo.' L'origine della parola non è ancora stata chiarita: qualche studioso pensa a un *balocco* che significava 'sciocco'; altri risalgono a *badalucco* (= 'passatempo').

3. 'Perditempo', 'fannullone'. Si tratta di una parola di origine sconosciuta.

4. 'Ragazzo vivace, furbo e impertinente.' La parola deriva dal francese *bribe* (= 'tozzo di pane dato per elemosina'): da questo significato si sarebbero sviluppati quelli di 'vagabondo' e poi di 'briccone'.

5. 'Fandonia', 'cosa inventata, di poca importanza'. Anche in questo caso ci sono molti dubbi sull'origine della parola: qualche studioso la ricollega a *bubbolo* (= 'sonaglio'), con riferimento al suo suono leggero e privo di forza.

6. Le *busse* sono le 'botte'. La parola *bussa*, usata sempre al plurale *busse*, deriva da *bussare* (= 'battere').

7. 'Giovane superficiale, dal modo di fare ricercato'; 'un elegantone'. Deriva dal francese *gaga* (= 'rimbambito'), parola che riprodurrebbe il borbottio incomprensibile degli sciocchi o dei bambini.

8. 'Vento gelido'; 'tramontana'. Forse è una parola di origine gergale, o deriva dai nomi propri *Gianni* o *Gianna*, oppure è una deformazione di *gennaio*, in quanto mese molto freddo.

9. 'Ingenuo, credulone e sciocco.' L'origine di questa parola è sconosciuta: probabilmente è una voce di origine onomatopeica.

10. 'Imbroglione'; 'persona di pochi scrupoli'. La parola, nata nel Seicento, è composta da *lesto* (= 'accorto, veloce') e *fante* (= 'garzone'), e ha assunto nel corso del tempo valore negativo.
11. 'Comportamento o gesto affettato, lezioso'; 'smanceria'. In origine significava 'carezza', e probabilmente si tratta di una parola usata giocando con i bambini o con i cuccioli.
12. 'Desiderio intenso'; 'capriccio'. Anche sull'origine di questa parola ci sono molti aspetti oscuri: qualche studioso la fa derivare da *uzza*, altra forma del toscano *uggia* (= 'ombra').

Punteggio

1	2	3	4	5	6	7	8	9	10	11	12	T

28

Parole nuove (o quasi)

Queste parole sono entrate nell'italiano al massimo da trent'anni. Che cosa significa...

1. archistar?
2. buonismo?
3. femminicidio?
4. graffitaro?
5. grattino?
6. griffato?
7. hashtag?
8. internauta?
9. movida?
10. pinocchietti?
11. rottamatore?
12. twittare?

Soluzioni

1. 'Architetto famoso, noto a livello internazionale.' Il termine è entrato nell'uso dell'italiano nel 2003: è composto da *archi(tetto)* e dall'inglese *star* 'stella', 'divo', sul modello di *rockstar*.

2. 'Esibizione di buoni sentimenti.' La parola si è diffusa dal 1993: deriva dall'aggettivo *buono* con l'aggiunta di *-ismo*.

3. 'Uccisione di una donna.' La parola si è diffusa dal 2001: è composta da *femmina* e *-cidio*, che significa 'uccisione'.

4. 'Chi fa disegni e pitture con bombolette spray sui muri delle grandi città.' La parola si è diffusa intorno al 1987: deriva da *graffito* con l'aggiunta del suffisso regionale *-aro*.

5. 'Scheda per la sosta a pagamento dell'auto nei parcheggi pubblici su cui si indica il periodo di fruizione del servizio grattando la pellicola sulle caselle corrispondenti.' La parola si è diffusa a partire dal 2000; deriva dal verbo *grattare* con l'aggiunta di *-ino*.

6. 'Che ha il marchio di un noto stilista.' La parola si è diffusa intorno al 1985: viene dal verbo *griffare*, che a sua volta deriva dal verbo francese *griffer*, dal sostantivo *griffe* (= 'marchio', 'etichetta').

7. 'Etichetta utilizzata per indicare l'argomento a cui si riferisce un *tweet*.' La parola deriva dall'inglese *hash* (= 'cancelletto') e *tag* (= 'etichetta').

8. 'Chi naviga in internet.' La parola si è diffusa dopo il 1995; è composta da *internet* e *nauta* (= 'navigante').

9. 'Vita notturna animata, soprattutto nelle strade delle grandi città.' La parola spagnola si è diffusa nell'italiano dal 1985: deriva dal verbo *mover* (= 'muovere').

10. 'Pantaloni che arrivano appena sotto al ginocchio, al polpac-

cio.' La parola si è diffusa negli ultimi vent'anni, ed è nata perché questo tipo di pantaloni ricorda quello indossato da Pinocchio nelle illustrazioni del libro di Collodi.

11. 'Chi vuole sbarazzarsi di personaggi della politica considerati ormai superati.' La parola ha cominciato a essere usata nel 2012; deriva dal verbo *rottamare* (= 'smantellare', 'demolire' vecchi autoveicoli o macchinari).

12. 'Scrivere un *tweet*, cioè un messaggio di 140 caratteri'; *twittare* è la forma italianizzata del verbo inglese *to tweet* (= 'cinguettare').

Punteggio

1	2	3	4	5	6	7	8	9	10	11	12	T

29

Per modo di dire

Che cosa vuol dire...

1. Andare a tutta birra?
2. Cadere dalla padella nella brace?
3. Darsi la zappa sui piedi?
4. Essere al verde?
5. Gettare la spugna?
6. Lavarsene le mani?
7. Partire in quarta?
8. Passare una notte in bianco?
9. Prendere in contropiede?
10. Prendere due piccioni con una fava?
11. Salvarsi in corner?
12. Seguire a ruota?

Soluzioni

1. Vuol dire 'andare a grande velocità'. L'espressione, nata nell'ambiente delle corse automobilistiche, è poi entrata nella lingua parlata. *A tutta birra* è una deformazione di *a tutta briglia*, che fa riferimento al correre del cavallo: nella nuova espressione il cavallo è idealmente sostituito dalla macchina, e la birra è associata alla benzina.

2. Vuol dire 'cambiare una situazione in peggio', trovare un rimedio peggiore del male. All'origine del modo di dire c'è il racconto di un pesce che, per fuggire dalla padella in cui era stato messo, finì nel fuoco che la scaldava, accelerando la sua brutta fine.

3. Vuol dire 'portare involontariamente argomenti contro il proprio punto di vista', 'nuocere involontariamente a sé stessi', come farebbe chi, scavando, si desse una zappa sui piedi.

4. Vuol dire 'non avere più soldi'. All'origine della metafora c'è il fatto che anticamente il fondo delle candele (dunque la parte che si consumava per ultima) era tinto di verde.

5. Vuol dire 'rinunciare a fare qualcosa' riconoscendosi vinto o incapace. Nel pugilato, per evitare a un pugile l'umiliazione di una brutta sconfitta, il suo secondo può gettare sul ring l'asciugamano (che una volta era la spugna) dichiarando così il ritiro del pugile dal combattimento.

6. Vuol dire 'disinteressarsi completamente di una faccenda' lasciando che segua il suo corso, allontanando da sé ogni responsabilità. Il modo di dire allude al famoso gesto di Pilato che, lavandosi le mani davanti al popolo, dichiarò la propria totale estraneità alla futura morte di Cristo.

7. Vuol dire 'cominciare subito', 'affrontare immediatamente un lavoro con la massima energia e la massima prontezza'.

Quando è nato questo modo di dire, la quarta era la marcia più veloce di un'automobile (oggi esistono la quinta e perfino la sesta). L'espressione nasce dalla persuasione errata che una macchina possa iniziare la sua corsa con la marcia più veloce.

8. Vuol dire 'passare una notte senza dormire'. Nel Medioevo il futuro cavaliere trascorreva la notte che precedeva l'investitura sveglio e vestito di bianco in segno di purezza: questa era la sua «veglia d'armi».

9. Vuol dire 'prendere alla sprovvista qualcuno che non se l'aspetta'. È una metafora tratta dal linguaggio sportivo: nel calcio l'azione del contropiede consiste nel rovesciare improvvisamente il gioco passando dalla difesa nella propria metà campo all'attacco nella metà campo della squadra avversaria, in modo da raggiungerne la porta quando è quasi completamente indifesa.

10. Vuol dire 'ottenere due vantaggi con un solo sforzo'. L'espressione si usa perché un tempo nelle trappole per la caccia ai colombi selvatici si mettevano le fave.

11. Vuol dire 'salvarsi all'ultimo momento', con l'ultimo mezzo disponibile. Nel gioco del calcio il *corner*, abbreviazione di *corner kick*, è il calcio d'angolo, cioè la rimessa in gioco della palla contro la squadra che l'ha mandata oltre la propria linea di fondo. Per evitare di subire un gol, un difensore può mandare intenzionalmente la palla oltre la propria linea di fondo. In tal caso l'arbitro assegnerà un calcio d'angolo (o *corner*) alla squadra avversaria, ma intanto quella in difesa si è *salvata in corner*.

12. Vuol dire 'essere vicinissimo a chi precede o arriva primo', 'essere preceduto di pochissimo nel conseguire un risultato'. È un'espressione propria delle gare ciclistiche, in cui un cor-

ridore segue *a ruota* un avversario anche di proposito, per farsi tirare, e giunge *a ruota* sul traguardo: la ruota anteriore della seconda bicicletta non supera quella posteriore della prima.

Punteggio

1	2	3	4	5	6	7	8	9	10	11	12	**T**

30

Proverbi: se li conosci li usi

Che cosa si intende quando si dice...

1. A caval donato non si guarda in bocca?
2. L'abito non fa il monaco?
3. Al contadino non far sapere quanto è buono il cacio con le pere?
4. Le bugie hanno le gambe corte?
5. Chi va con lo zoppo impara a zoppicare?
6. Il diavolo fa le pentole ma non i coperchi?
7. Non è tutto oro quel che riluce?
8. Il mondo è fatto a scale, chi le scende e chi le sale?
9. Passata la festa, gabbato lo santo?
10. Lontano dagli occhi, lontano dal cuore?
11. Tanto va la gatta al lardo che ci lascia lo zampino?
12. Una rondine non fa primavera?

Soluzioni

1. 'Non si deve criticare ciò che ci è stato regalato.' Il proverbio deriva dal gergo dei mercanti di bestiame, e allude all'esame che si fa a un cavallo prima di comprarlo, in cui si controllano i denti per verificarne l'età e lo stato di salute; naturalmente, se il cavallo viene regalato lo si accetta così com'è, senza esaminarlo.

2. 'L'aspetto esteriore non basta a garantire l'onestà interiore.' Si tratta della traduzione di un proverbio medievale latino, *Cucullus non facit monachum*, che significava 'il cappuccio non fa il monaco', cioè: per essere davvero un monaco, non basta indossarne le vesti.

3. 'Quando una cosa è buona, è meglio non farla conoscere a chi potrebbe prenderla per sé.' Il proverbio è nato quando i rapporti tra padrone e contadino erano tali che i migliori prodotti della campagna venivano presi dal padrone, e dunque ai sottoposti non conveniva rivelarne la bontà.

4. 'Le bugie non si possono nascondere a lungo: prima o poi la verità viene scoperta.' Il bugiardo, quindi, fa poca strada, perché le sue bugie non riescono a correre.

5. 'Se si frequentano persone che hanno cattive abitudini, si finisce per farle proprie.'

6. 'Le cattive azioni prima o poi vengono fuori.' Il proverbio allude al fatto che il diavolo istiga al male dando consigli imperfetti: aiuta a fare il recipiente ma non il coperchio, e così il peccatore prima o poi viene scoperto.

7. 'L'apparenza inganna.' Infatti, non tutto quello che splende è davvero prezioso.

8. 'La vita è un alternarsi tra chi guadagna e chi perde.' Il para-

gone è tra chi va sempre in salita, cioè bene, e chi in discesa, cioè male.

9. 'Gli impegni presi in circostanze solenni vengono dimenticati appena la manifestazione ufficiale è finita', proprio come succede quando finisce la celebrazione di un santo e ci si dimentica subito di lui.

10. 'Quando una persona si allontana da noi, anche il nostro affetto si affievolisce.' Il proverbio allude al fatto che basta non vedere più la persona amata per dimenticarla.

11. 'Chi commette ripetutamente cattive azioni presto o tardi sarà scoperto', proprio come succede ai gatti che, a furia di rubare il lardo senza essere colti sul fatto, ci prendono gusto e cadono nella trappola tesa dal padrone, lasciandoci la zampa.

12. 'Un solo segno positivo non deve farci credere che tutto andrà bene', come avviene quando l'arrivo di una sola rondine ci fa pensare che la primavera sia già cominciata e poi, invece, torna il freddo.

Punteggio

1	2	3	4	5	6	7	8	9	10	11	12	T

Livello intermedio

1

Dove va l'accento?

Si dice...

1. *àbrogo* o *abrògo?*
2. *ègida* o *egìda?*
3. *èpodo* o *epòdo?*
4. *gòmena* o *gomèna?*
5. *ilàre* o *ìlare?*
6. *impròbo* o *ìmprobo?*
7. *lèsino* o *lesìno?*
8. *mèndico* o *mendìco?*
9. *pùdico* o *pudìco?*
10. *sàrtia* o *sartìa?*
11. *trìpode* o *tripòde?*
12. *upùpa* o *ùpupa?*

Soluzioni

1. **Àbrogo**. Le tre persone singolari del presente indicativo di *abrogare*, che significa 'annullare una norma con i mezzi previsti dalla legge', hanno l'accento sulla *a*: *io àbrogo, tu àbroghi, lui àbroga*. Questa pronuncia riprende quella originaria del latino, che era *àbrogo, àbrogas, àbrogat*. Nelle tre persone plurali l'accento si sposta, perché cambia il numero delle sillabe: *noi abroghiàmo, voi abrogàte, loro abrògano*.

2. La pronuncia corretta è **ègida**, con l'accento sulla *e*, che riproduce quello della parola latina *aegida*, accusativo di *aegis*, a sua volta derivata dal greco *aighís*. Sia in latino sia in greco il termine indicava la 'pelle di capra' che proteggeva lo scudo di Giove. Il significato metaforico di 'protezione', 'difesa', 'riparo' è passato dal latino al francese nel Settecento, grazie a Voltaire, e poi all'italiano.

3. L'unica pronuncia ammessa è **epòdo**, con l'accento sulla *o*. Nella poesia greca e latina, l'*epòdo* è un tipo di verso, un tipo di strofa o un tipo di componimento di argomento satirico o morale; quest'ultimo significato è presente anche nella poesia italiana (Giosuè Carducci intitolò una sua raccolta di poesie *Giambi ed epòdi*). Il termine viene dal greco *epoidós*, cioè 'canto aggiunto'; è arrivato nella lingua italiana attraverso il latino *epòdos*, di cui ha conservato l'accento.

4. La pronuncia corretta è **gòmena**, con l'accento sulla *o*. Questa parola, che indica una 'grossa fune usata per ormeggiare o rimorchiare le imbarcazioni', deriva probabilmente dall'arabo *gùmmal*, e nel passaggio all'italiano ha mantenuto l'accento sulla prima vocale.

5. **Ìlare** (= 'che è di buon umore', 'che mostra contentezza') viene dal latino *hìlarem*, il cui accento, passando all'italia-

104

no, è rimasto sulla *i*. Bisogna pronunciare *ìlare* anche perché l'aggettivo *ilàre*, con l'accento sulla *a*, ha significati completamente diversi: in botanica indica ciò che riguarda l'*ilo* (= 'ombelico') del seme, e in anatomia ciò che ha rapporto con l'*ilo* (= 'fossetta', 'avvallamento') di un organo. Meglio, dunque, non fare confusione tra buon umore, botanica e anatomia.

6. *Ìmprobo* (= 'eccessivo', 'duro', 'ingrato'). La parola viene dal latino *ìmprobum*, il cui accento, passando all'italiano, è rimasto sulla *i*.

7. *Lèsino*. Le tre persone singolari del presente indicativo di *lesinare* hanno l'accento sulla *e*: io *lèsino*, tu *lèsini*, lui *lèsina*. Il verbo *lesinare*, che significa 'spendere il meno possibile', 'risparmiare', 'limitare al massimo', deriva da un'antica parola germanica non documentata, *alisna*, che indicava un arnese usato dal calzolaio per cucire la suola della scarpa. La parola *lèsina* è usata spesso con il significato di 'risparmio rigido', 'taccagneria', 'spilorceria' (questo senso figurato deriva forse dal titolo di un libro del Cinquecento, *Della famosissima Compagnia della Lesina*, in cui si raccontava di una compagnia di avari che aveva come simbolo una lesina, per l'abitudine di ripararsi le scarpe da soli).

8. La pronuncia corretta è **mendìco**, con l'accento sulla *i*. Era accentata sulla *i* anche la parola latina *mendìcum*, che a sua volta derivava da *mendum* (= 'difetto'). Dal significato di 'che ha un difetto fisico' si è passati a quello di 'infermo', e poi a quello di 'povero'.

9. La pronuncia corretta è **pudìco**, con l'accento sulla *i*. Era accentata sulla *i* anche la parola latina *pudìcum*, da cui deriva l'aggettivo italiano.

10. La pronuncia corretta è **sàrtia**, anzi *sàrtie*, perché la parola si

usa al plurale e indica i cavi d'acciaio che servono di rinforzo agli alberi delle navi o delle barche a vela. Il termine viene dal greco *eksártia*; l'accento, passando all'italiano, è rimasto sulla stessa vocale.

11. La pronuncia corretta è ***trìpode***. Questa parola indica un 'sostegno a tre gambe': viene dal latino *trìpodem*, che a sua volta era la trascrizione del greco *trípodos*, che significava 'con tre piedi' e aveva l'accento sulla *i*, dove è rimasto.

12. Il nome ben pronunciato di questo uccello è ***ùpupa***. Ha origine dal latino *ùpupam*, parola che riproduceva il verso dell'animale, un *up up* ripetuto e prolungato. L'accento, nella voce originaria, era sulla prima *u*, e tale si è mantenuto in italiano.

Punteggio

1	2	3	4	5	6	7	8	9	10	11	12	**T**

2

Così o cosà?

Si scrive...

1. *accelerare* o *accellerare*?
2. *asimmetria* o *assimmetria*?
3. *caciucco* o *cacciucco*?
4. *collutazione* o *colluttazione*?
5. *coscenzioso* o *coscienzioso*?
6. *echeggiare* o *eccheggiare*?
7. *meteorologo* o *metereologo*?
8. *proficuo* o *profiquo*?
9. *redarre* o *redigere*?
10. *scorazzare* o *scorrazzare*?
11. *taccuino* o *tacquino*?
12. *zabaglione* o *zabaione*?

Soluzioni

1. La forma corretta è **accelerare**. Questo verbo, infatti (che può significare 'aumentare la velocità', 'rendere più rapido', 'abbreviare i tempi per eseguire qualcosa') deriva dall'aggettivo *celere*, che ha una sola *l*. Com'è nato l'errore? Al presente indicativo *accelerare* presenta l'accento sulla terzultima sillaba: *io accèlero*, *tu accèleri*. In italiano (e soprattutto in alcuni dialetti) nelle parole accentate sulla terzultima sillaba la consonante che segue l'accento tende a raddoppiarsi. Per esempio, le tre parole latine *màchina*, *fèmina* e *chòlera* sono diventate, rispettivamente, *màcchina*, *fèmmina* e *còllera*, con la consonante raddoppiata dopo l'accento. Sulla base dello stesso criterio, *accelero* è stato erroneamente trasformato in *accellero*. Per le voci del verbo *accelerare* non accentate sulla terzultima sillaba (per esempio *acceleràvi*, *acceleràto*, *acceleràre*) ha agito un'altra tendenza. Parole di questo tipo non hanno, come potremmo pensare, un solo accento, ma due. Quando le pronunciamo, noi mettiamo l'accento principale sulla *a*, e un secondo accento (detto, appunto, «secondario») sulla prima *e*: *accéleràvi*, *accéleràto*, *accéleràre*. L'italiano tende a raddoppiare la consonante posta dopo l'accento secondario. Per esempio, le parole latine *àcadèmia* e *sépelìre* sono diventate, in italiano, *àccadèmia* (con due *c*) e *séppellìre* (con due *p*). Chi pronuncia *accélleràre* con due *l* applica lo stesso meccanismo, ma sbaglia, perché dire (e soprattutto scrivere) *accélleràre* è un errore che non trova conforto nella storia della nostra lingua.

2. **Asimmetrìa** riprende direttamente il sostantivo greco antico *asymmetría*, composto da *a* privativo (= 'senza') e *symmetría*

(= 'proporzione', 'misura'): la grafia con una sola *s* è dunque originaria.

3. ***Cacciucco***. La parola che indica l'ottima zuppa, tipica di Livorno e Viareggio, fatta con pesci di vario tipo, soffritti con cipolla, pomodoro, pepe, peperoncino, aglio e vino bianco o rosso, è di origine mediorientale: viene da *kaçukli*, che in turco significa 'minutaglia'. La provenienza straniera del termine spiega perché si è spesso incerti sul modo di scriverlo.

4. ***Colluttazione***, che significa 'rissa', 'scontro', va scritta e pronunciata con due *l* e con due *t*: deriva, infatti, dalla parola latina *colluctationem*, nella quale le due *l* c'erano già, e le consonanti *ct* hanno dato come risultato, in italiano, *tt*.

5. ***Coscienzioso*** è un aggettivo che indica, a seconda dei casi, una persona che è consapevole dei propri doveri e si comporta di conseguenza (*un medico coscienzioso*) o una cosa fatta con impegno e serietà (*un'indagine coscienziosa*). Alla sua origine c'è la parola latina *conscientiam*; dunque la *i* originaria si è mantenuta. Occorre aggiungere che l'aggettivo è arrivato in italiano non direttamente dal latino, ma attraverso la mediazione del francese *consciencieux*.

6. ***Echeggiare***. Questo verbo è derivato dalla parola *eco*, che presenta una sola *c*.

7. La forma corretta della parola che indica l'esperto di previsioni del tempo è ***meteorologo***, composta dall'elemento *meteoro-*, derivato dalla parola *meteora*, che in italiano indica un 'corpo celeste che attraversa l'atmosfera' e, più in generale, ogni fenomeno che si svolge nell'atmosfera. La forma *metereologo* si spiega perché, nella nostra lingua, la sequenza *-eoro-* è rarissima, e si tende a semplificarla in *-ereo-* sul modello di parole come *aereo*, *stereo*, eccetera. (Quanto detto per *meteorologo* vale anche per *meteorologia* e *meteorologico*.)

8. **Proficuo** (= 'che dà profitto', 'vantaggioso') è una parola dotta che riprende direttamente l'aggettivo latino *proficuum*, a sua volta derivato dal verbo *proficere*, che è composto da *pro-* (= 'per') e *facere* (= 'fare'): 'fare qualcosa per' e dunque 'giovare'. La forma con *c* rispetta la grafia originaria.

9. Questo verbo è familiare soprattutto a chi, nello svolgimento del proprio lavoro, deve appunto **redigere** (= 'scrivere', 'compilare', 'stendere') documenti, verbali, articoli, testi e scritti di vario genere. L'infinito *redarre*, che è sbagliato, si è diffuso sul modello di *trarre*, per l'analogia esistente fra i participi passati dei due verbi: *tratto* e *redatto*. Questa somiglianza non autorizza l'uso di una forma inesistente.

10. La forma corretta è quella con due *r*: **scorrazzare**, infatti, deriva da *correre*, e nessuno scriverebbe *correre* con una sola *r*.

11. Il termine **taccuino**, che indica il praticissimo quadernetto per prendere appunti che nessuno smartphone potrà mai sostituire, è l'italianizzazione di *taqwim*, che in arabo significava 'sistemazione'. I dizionari avvertono che l'unica grafia corretta è *taccuino* con due *c*: con buona pace di un linguista un po' originale, che giudica gli esempi di *tacquino* da lui raccolti in internet (lo 0,12% del totale!) non come errori ortografici, ma come prove della vitalità della grafia con *cq*.

12. L'origine di questa strana parola è incerta e discussa. Secondo alcuni deriverebbe dalla parola latina *sabaia*, che nell'antica Roma indicava una specie di birra; secondo altri deriverebbe, invece, dall'antica espressione francese *chaud bouillon* (= 'bevanda calda'). Quale che sia l'ipotesi corretta, la forma giusta è una sola: **zabaione**.

Punteggio

1	2	3	4	5	6	7	8	9	10	11	12	**T**

3

Sillabario

Dividete in sillabe:

1. antinomia
2. caimano
3. caotico
4. cetriolo
5. chiunque
6. claustrofobia
7. coalizione
8. evanescenza
9. irresponsabile
10. isoscele
11. ossessione
12. scoiattolo

Soluzioni

1. an-ti-no-mi-a; 2. cai-ma-no; 3. ca-o-ti-co; 4. ce-tri-o-lo;
5. chi-un-que; 6. clau-stro-fo-bi-a; 7. co-a-li-zio-ne;
8. e-va-ne-scen-za; 9. ir-re-spon-sa-bi-le; 10. i-so-sce-le;
11. os-ses-sio-ne; 12. sco-iat-to-lo.

Punteggio

1	2	3	4	5	6	7	8	9	10	11	12	**T**

4

Il ritorno dell'accento

Si dice...

1. *èrogo* o *erògo*?
2. *Gràdoli* o *Gradòli*?
3. *ìgneo* o *ignèo*?
4. *ìmplico* o *implìco*?
5. *ìnfido* o *infìdo*?
6. *lùbrico* o *lubrìco*?
7. *medìceo* o *medicèo*?
8. *neòfita* o *neofìta*?
9. *Nùoro* o *Nuòro*?
10. *Òfanto* o *Ofànto*?
11. *Orgòsolo* o *Orgosòlo*?
12. *tìtubo* o *titùbo*?

Soluzioni

1. **Èrogo**. Le tre persone singolari del presente indicativo del verbo *erogare* (= 'fornire', 'distribuire'; 'destinare una somma di denaro per un fine determinato'), hanno l'accento sulla *e*: *io èrogo, tu èroghi, lui èroga*. Questa pronuncia riprende quella originaria del latino, che era *èrogo, èrogas, èrogat*. Nelle tre persone plurali l'accento si sposta, perché cambia il numero delle sillabe: *noi eroghiàmo, voi erogàte, loro erògano*.

2. All'origine del nome di **Gràdoli**, in provincia di Viterbo, c'è il latino *gràdulum*, diminutivo di *gràdum* (= 'gradino'), con accento originario sulla *a*. Il posto fu chiamato così a causa del terreno a scaglie, a gradinata, su cui sorgeva.

3. L'aggettivo **ìgneo** significa 'di fuoco', e deve essere pronunciato con l'accento sulla *i*, perché ha conservato l'accento originario della parola latina *ìgneum*.

4. **Ìmplico**. Le tre persone singolari del presente indicativo del verbo *implicare* hanno l'accento sulla *i*: *io ìmplico, tu ìmplichi, lui ìmplica*. Questa pronuncia riprende quella originaria del latino, che era *ìmplico, ìmplicas, ìmplicat*.

5. Questo aggettivo, che indica qualcuno o qualcosa 'che non ispira fiducia', 'di cui non fidarsi', si pronuncia **infìdo**, con l'accento sulla seconda *i*, che riprende l'originale latino *infìdum*.

6. La pronuncia corretta è **lùbrico**, con l'accento sulla *u*, che è originario. Infatti, la parola latina da cui deriva *lubrico* era *lùbricum*, anche questa con l'accento sulla *u*. In senso letterale, *lubrico* significa 'scivoloso', 'sdrucciolevole' (si pensi a un verbo come *lubrificare*, che significa 'ungere gli elementi di un meccanismo fino a renderlo scorrevole'); in senso figurato, invece, significa 'viscido', e quindi anche 'disonesto', 'immo-

rale', 'licenzioso', 'lascivo'. L'animale «scivoloso» (e dunque *lubrico*) per eccellenza è il serpente, che nella Bibbia incarna il peccato e la tentazione.

7. La pronuncia corretta di questo aggettivo (= 'della famiglia dei Medici', 'relativo alla famiglia dei Medici': *le cappelle medìcee, la signoria medìcea*, eccetera) è la prima, con l'accento sulla *i*: **medìceo**. Infatti, l'uscita *-eo* deriva dalla finale latina *-eus*, che non aveva l'accento. Quando una parola italiana termina in *-eo* derivato dal latino *-eus*, l'accento deve cadere obbligatoriamente sulla sillaba precedente: *medìceo*. La stessa regola vale per altre parole uscenti in *-eo*, come *argènteo, àureo, ebùrneo, fèrreo, fosfòreo, lìgneo, tèrreo*, eccetera.

8. La pronuncia corretta è **neòfita**: deriva dal latino *neòphytum*, che a sua volta derivava dalla parola greca *neóphytos*, composta da *néos* (= 'nuovo') e *phýein* (= 'piantare', 'generare'), di cui ha mantenuto l'accento sulla *o*. Con il significato di 'chi ha aderito da poco a una nuova idea' la parola ricalca il francese *néophyte*.

9. La pronuncia corretta è la prima, quella con l'accento sulla *u*. *Nùoro* deriva da un nome di luogo che anticamente suonava *Nùgor*, sulla cui origine e sul cui significato non si sa nulla. In dialetto *Nùoro* è detta *Nùgoro*, con la stessa *g* che troviamo nell'antico *Nùgor*. La pronuncia con l'accento sulla *ò*, *Nuòro*, è suggerita dal modello delle tante parole italiane con *uò*: si tende, cioè, a dire (erroneamente) *Nuòro* così come si dice (correttamente) *buòno, nuòvo, luògo*.

10. **Òfanto**. Livio, Orazio e Virgilio chiamavano questo fiume del Sud, che scorre al confine delle attuali province di Avellino, Foggia e Potenza, *Àufidus*; nel Medioevo il nome si trasformò in *Àufentum*, da cui poi si ebbe *Òfanto*, con accento sulla prima *o*.

11. La pronuncia corretta del nome di questa cittadina in provincia di Nuoro è **Orgòsolo**, con l'accento sulla seconda *o*. Deriva da *orgòsa*, una parola antichissima, addirittura prelatina, che voleva dire 'luogo umido, acquitrinoso' e aveva l'accento sulla seconda *o*, che dunque è originario.

12. Le tre persone singolari del presente indicativo di *titubare*, che significa 'mostrarsi incerto', 'essere indeciso, esitante', hanno l'accento sulla *i*: *io tìtubo, tu tìtubi, lui tìtuba*. Questa pronuncia riprende quella originaria del verbo latino *tìtubo*.

Punteggio

1	2	3	4	5	6	7	8	9	10	11	12	**T**

5

Articolazioni

Si dice…

1. *un* gnu o *uno* gnu?
2. *un* charter o *uno* charter?
3. *un* ierofante o *uno* ierofante?
4. *un* writer o *uno* writer?
5. *un* webwriter o *uno* webwriter?
6. *un* chauffeur o *uno* chauffeur?
7. *un* chip o *uno* chip?
8. *un* chef o *uno* chef?
9. *un* zaffiro o *uno* zaffiro?
10. *un* xenobio o *uno* xenobio?
11. *un* ione o *uno* ione?
12. *un* xeroderma o *uno* xeroderma?

Soluzioni

1. *uno* gnu; 2. *un* charter; 3. *uno* ierofante; 4. *un* writer;
5. *un* webwriter; 6. *uno* chauffeur; 7. *un* chip; 8. *uno* chef;
9. *uno* zaffiro; 10. *uno* xenobio; 11. *uno* ione; 12. *uno* xeroderma.

Ecco le regole per scegliere l'articolo da usare:

Risposte 1, 3, 9, 10, 11 e 12. Davanti a una parola che comincia per *n* palatale (appunto il suono *gn* di *gnu*), per *z*, per *x* o per *i* seguita da un'altra vocale (come in *ierofante* e in *ione*), l'articolo indeterminativo maschile è *uno*.

Risposte 2, 6, 7 e 8. Con le parole straniere si usa lo stesso articolo che si troverebbe davanti a una parola iniziante con lo stesso suono: così i francesismi *chauffeur e chef* hanno l'articolo *uno* (come *uno sci*), mentre gli anglicismi *chip e charter* hanno l'articolo *un* (come *un cibo*).

Risposte 4 e 5. Con le parole di origine inglese inizianti per *w* (come *writer* e *webwriter*), oggi l'articolo indeterminativo maschile singolare è *un*.

Punteggio

1	2	3	4	5	6	7	8	9	10	11	12	**T**

6

Viva la differenza

Che differenza c'è fra...

1. *un banco* e *una banca?*
2. *un busto* e *una busta?*
3. *un capitale* e *una capitale?*
4. *un carico* e *una carica?*
5. *un casello* e *una casella?*
6. *un caso* e *una casa?*
7. *un costo* e *una costa?*
8. *un filo* e *una fila?*
9. *un palo* e *una pala?*
10. *un partito* e *una partita?*
11. *un pasto* e *una pasta?*
12. *un pizzo* e *una pizza?*

Per conquistare il punto è sufficiente indicare un significato per ciascuna delle due parole.

Soluzioni

1. Il *banco* è, prima di tutto, un mobile: un sedile di varia forma (*banco di scuola, di chiesa, dei rematori, degli imputati*) o un tavolo allungato, anche da lavoro (*banco del falegname, della farmacia*); si chiama *banco* anche il locale in cui si gioca al lotto (*banco del lotto*) o si ottengono prestiti su pegno (*banco dei pegni*). Il *banco* è anche un ammasso orizzontale di elementi naturali (*banco di nebbia, di sabbia, di corallo, di pesci*). La *banca*, invece, è un'azienda la cui attività principale consiste nel raccogliere e prestare denaro. Per estensione, il termine è passato a indicare anche istituzioni che raccolgono e dispensano altro, come per esempio la *banca del sangue, del seme, del tempo* e, in informatica, la *banca dati*.

2. Il *busto* è la parte del corpo compresa tra il collo e i fianchi, oppure una scultura che rappresenta una figura umana dalla testa al petto, generalmente senza le braccia; può essere anche un apparecchio ortopedico e infine un indumento intimo femminile. La *busta* è un contenitore di carta chiuso su tre lati usato per conservare o spedire lettere e documenti.

3. Un *capitale* è una consistente quantità di denaro; la *capitale* è la città di una nazione nella quale hanno sede il capo dello Stato e gli organi centrali del governo.

4. La parola *carico* indica l'operazione del caricare (*il carico del materiale*) e, per estensione, un peso, una responsabilità (*sostenere il carico della famiglia*). Nel gioco della briscola, il *carico* è l'asso e il tre non di briscola. La *carica* è: a) un ufficio o compito pubblico di rilievo (*la carica di sindaco*); b) l'operazione consistente nel fornire a un apparecchio il materiale o l'energia necessaria al suo funzionamento o anche l'energia stessa (*la carica dell'orologio*); c) l'energia mentale o emotiva

di cui è dotata una persona (*carica di simpatia*); d) un assalto (*carica a cavallo, della polizia*); e) l'azione con cui un giocatore ostacola o fa cadere un avversario (*carica sul portiere*).

5. Il *casello* è la stazione d'ingresso e uscita di un'autostrada, o anche una casa cantoniera posta presso ferrovie o strade. La *casella* è lo scompartimento di un mobile usato per raccogliere carte, documenti, eccetera. Per estensione, la parola indica anche altri tipi di raccoglitori materiali o virtuali (*casella postale, vocale, di posta elettronica*). Infine, la *casella* è il quadratino di una scacchiera o di un cruciverba.

6. Il *caso* è un evento non previsto e non prevedibile, una possibilità (*i casi della vita*); una vicenda giudiziaria che fa scalpore (*il caso di Avetrana*); una condizione di malattia o la persona che ne è affetta (*un caso di meningite*). La *casa*, invece, è un edificio di varia grandezza usato come abitazione.

7. Il *costo* è la spesa necessaria per ottenere qualcosa o anche il suo prezzo o valore (*il costo del pane, di una casa, di un viaggio*). La *costa* è la zona della terraferma che confina direttamente con il mare.

8. Un *filo* è un corpo lungo e sottilissimo (*un filo di cotone, di seta*) e, per estensione, una piccola quantità (*un filo d'olio*); la *fila* è un insieme di persone o cose disposte l'una dopo l'altra (*una fila di scolari, di macchine*).

9. Il *palo* è un'asta verticale di materiale vario che si conficca nel suolo; per estensione, il termine indica anche chi fa la guardia mentre i complici compiono un furto; la *pala* è un attrezzo fatto di un manico piuttosto lungo (generalmente di legno) all'estremità del quale vi è un ferro piatto e largo che serve per scavare.

10. Il *partito* è un'associazione di cittadini che ha lo scopo di

svolgere un'attività politica comune; la *partita* è una gara fra due o più giocatori o squadre.

11. Il *pasto* è l'atto del mangiare, specialmente in ore determinate (*fare tre pasti al giorno*) e anche l'insieme dei cibi che si mangiano in un pasto (*un pasto abbondante, semplice, frugale*). La *pasta* è l'alimento o l'impasto a base di farina (*pasta lunga, corta*; *tirare la pasta con il mattarello*); è anche un piccolo dolce (*una pasta alla crema*) e, infine, una sostanza densa e che si può plasmare (*pasta dentifricia*).

12. La parola *pizzo* può indicare un merletto, la cima di una montagna, la parte a punta di una barba e, infine, la tangente estorta dalle organizzazioni criminali a commercianti e imprenditori. La *pizza*, invece, è in primo luogo la specialità di Napoli ormai diffusa in tutto il mondo: una focaccia schiacciata, variamente condita e cotta in forno. Nel linguaggio cinematografico, la *pizza* è la scatola piatta e circolare in cui si conserva la pellicola. Infine, in senso figurato, una *pizza* è una persona o una cosa molto noiosa.

Punteggio

1	2	3	4	5	6	7	8	9	10	11	12	**T**

7

Plurali complicati

Che differenza c'è fra...

1. *i bracci* e *le braccia?*
2. *i cigli* e *le ciglia?*
3. *i corni* e *le corna?*
4. *i diti* e *le dita?*
5. *i fili* e *le fila?*
6. *i fondamenti* e *le fondamenta?*
7. *i gridi* e *le grida?*
8. *i labbri* e *le labbra?*
9. *i membri* e *le membra?*
10. *i muri* e *le mura?*
11. *gli ossi* e *le ossa?*
12. *gli urli* e *le urla?*

Soluzioni

1. Il plurale maschile *bracci* si adopera in riferimento a oggetti: *i bracci della gru, della bilancia, della croce, del fiume; un lampadario a sei bracci*. Il plurale femminile *braccia* si adopera in riferimento alle parti del corpo e negli usi figurati: *alzare le braccia, accogliere qualcuno a braccia aperte*. È femminile anche il plurale di *braccio* inteso come unità di misura: *in quel punto lo stretto è largo poche braccia*. Come si spiega il doppio plurale? All'origine dell'italiano *braccio* c'è il latino *brachium*, a sua volta derivato dal greco *brákion* (= 'più corto', 'più breve'): il significato si spiega con il fatto che la distanza tra l'omero e la mano è minore, appunto, di quella fra coscia e piede. Nel passaggio dal latino all'italiano, *brachium* ha dato *braccio*, da cui si è formato regolarmente il plurale maschile *bracci*. Il femminile *le braccia* è un eredità del plurale latino, che era *brachia*.

2. *I cigli* sono i peli che formano le ciglia, presi uno per uno, oppure i bordi di un fosso, di un burrone o di una strada. *Le ciglia*, invece, indicano quelle degli occhi nel loro insieme. Alla base di queste forme c'è il latino *cilium*, che in italiano ha dato *ciglio*, su cui si è formato il plurale maschile *cigli*. Il plurale femminile *ciglia* deriva dall'antico plurale latino, che era *cilia*.

3. Il maschile plurale *i corni* si adopera per lo strumento musicale o per indicare le 'estremità', le 'punte' (*i corni della montagna* o, in senso figurato, *i corni di un dilemma*). Il femminile plurale *le corna* designa, di volta in volta, le 'protuberanze' che animali e uomini (gli uni in senso reale, gli altri in senso figurato) portano sul capo. All'origine c'è la parola latina *cornu*, che in italiano ha dato *corno*, da cui si è avuto il plurale

maschile *i corni*. Quello femminile *le corna* è un'eredità del plurale latino, che terminava in -*a*: *cornua*.

4. Il plurale di *dito* è *i diti* se li consideriamo uno per uno e separatamente (*i diti anulari, i diti indici, i diti mignoli*), mentre è *le dita* se le consideriamo nel loro insieme (*le dita del piede*; *dita sottili*; *dita da pianista*).

5. Il plurale di *filo* è sempre *i fili* (*il filo/i fili d'erba, il filo/i fili della luce*); la forma *le fila* si adopera quando ci si riferisce a quelle fatte dal formaggio (*le fila del formaggio*) e quando ci si riferisce a un 'intreccio': *le fila di una congiura, di un complotto*, eccetera. Come si spiega questo doppio plurale? La parola latina da cui deriva l'italiano *filo* era *filum*, che al plurale diventava *fila*. Nel passaggio dal latino all'italiano, *filum* ha dato *filo*, da cui si è formato regolarmente il plurale *fili*. La forma *le fila* è un'eredità dell'antico plurale latino *fila*.

6. *I fondamenti* sono i 'principi fondamentali' di una scienza o di una disciplina; *le fondamenta* sono le 'strutture su cui si fonda un edificio'. All'origine di questa parola c'è il termine latino *fundamentum*, derivato dal verbo *fundare* (= 'fondare', 'costruire'). Da *fundamentum* in italiano si è avuto *fondamento* al singolare e *fondamenti* al plurale. Il plurale femminile *le fondamenta* è un relitto dell'antico plurale latino *fundamenta*, con -*a* finale.

7. *I gridi* sono quelli degli animali; *le grida* sono quelle degli uomini. Quindi: *Si sentivano i gridi degli uccelli e le grida della folla*. Il plurale regolare di *grido* (che deriva dal verbo *gridare*) è *gridi*, maschile; il plurale femminile *le grida* si è formato sul modello di altre parole che indicano degli insiemi e al plurale escono in -*a*, come quelle che abbiamo appena nominato: *le braccia, le ciglia, le corna*, eccetera.

8. *I labbri* sono gli 'orli', i 'bordi': *i labbri della ferita, di un vaso*,

125

di una tazza. Le labbra sono quelle della bocca: *labbra sottili, un bacio sulle labbra, pendere dalle labbra di qualcuno.*

9. La parola *membro*, sia che indichi una delle parti in cui si articola il corpo dell'uomo e degli animali, sia che indichi l'apparato genitale maschile, sia che indichi una persona che appartiene a un gruppo o a una comunità, sia che indichi l'elemento di un'equazione, al plurale fa sempre *i membri*, maschile. Il femminile *le membra* si adopera solo per indicare le parti del corpo nel loro insieme; quindi, parleremo dei *membri di una famiglia, di un partito, di un'associazione* e, viceversa, *di membra robuste, proporzionate, doloranti.* All'origine c'è la parola latina *membrum*, che in italiano ha dato *membro*, su cui si è formato il plurale *i membri*. La forma *membra* riprende l'antico plurale latino *membra*, con la *a* finale.

10. *I muri* sono le singole costruzioni fatte con vari materiali (mattoni, cemento, cartongesso): *i muri maestri, i muri portanti, i muri di casa, alzare muri di mattoni. Le mura* sono l'insieme di opere murarie che chiudono un edificio o una città: *le mura della fortezza, le mura della città.* Si usa *mura* anche nell'espressione figurata *chiudersi tra quattro mura*, cioè fare una vita ritirata. Dal termine latino *murum* in italiano si è avuto *il muro*, che al plurale ha dato regolarmente *i muri*. In latino il plurale di *murum* era *mura*, e questo spiega la presenza della forma *le mura* in italiano.

11. Il plurale di *osso* è *ossi* quando sono considerati uno per uno, separatamente, specie con riferimento ad animali (*il carpo e il metacarpo sono due ossi della mano, gli ossi del pollo*); è *ossa* quando si indicano le ossa umane nel loro insieme (*mi fanno male le ossa*). La parola del latino parlato da cui deriva l'italiano *osso* era *ossum*, che al plurale diventava *ossa*. Nel passaggio

dal latino all'italiano, *ossum* ha dato *osso*, da cui si è formato regolarmente il plurale maschile *ossi*. La forma femminile *le ossa* è un relitto dell'antico plurale latino *ossa*.

12. Il maschile *gli urli* si riferisce agli *urli degli animali*; il femminile *le urla* si riferisce alle grida e alle invocazioni degli uomini (*si sentivano gli urli delle scimmie e le urla dei cacciatori*). Il plurale regolare di *urlo* (che deriva dal verbo *urlare*) è *urli*, maschile; il plurale femminile *le urla* si è formato sul modello delle altre parole che indicano degli insiemi e al plurale escono in -*a*, come appunto *le braccia*, *le ciglia*, *le corna*, *le ossa*, eccetera.

Punteggio

1	2	3	4	5	6	7	8	9	10	11	12	**T**

8

Aggettivamente

Che differenza c'è fra...

1. *l'alta pressione* e *la pressione alta?*
2. *un alto ufficiale* e *un ufficiale alto?*
3. *l'alta cucina* e *una cucina alta?*
4. *un bravo ragazzo* e *un ragazzo bravo?*
5. *un buonuomo* e *un uomo buono?*
6. *un vecchio amico* e *un amico vecchio?*
7. *un poveruomo* e *un uomo povero?*
8. *un certo successo* e *un successo certo?*
9. incontrare *diverse persone* e incontrare *persone diverse?*
10. conoscere *numerose famiglie* e conoscere *famiglie numerose?*
11. comprare *un nuovo libro* e comprare *un libro nuovo?*
12. *una gran signora* e *una signora grande?*

Soluzioni

1. Con *alta pressione* si fa riferimento alla pressione atmosferica, ovvero quella esercitata dall'atmosfera; con *pressione alta* si intende un valore elevato della pressione arteriosa, cioè quella esercitata dal sangue sulle pareti delle arterie.

2. Un *alto ufficiale* è, nella gerarchia militare, un ufficiale di grado elevato (almeno un colonnello); un *ufficiale alto* è un ufficiale che ha la caratteristica fisica dell'altezza.

3. L'*alta cucina* è la cucina di grande qualità; una *cucina alta* è una cucina che si trova in alto o una stanza con il soffitto alto adibita a cucina.

4. Un *bravo ragazzo* è un ragazzo di buon cuore; un *ragazzo bravo* è un ragazzo capace, che dimostra sicurezza nello svolgimento di un compito, di un lavoro o nello studio.

5. Un *buonuomo* è un uomo mite, semplice, bonario o anche ingenuo; un tempo un ricco avrebbe usato questo appellativo per rivolgersi a un uomo del popolo che conosceva. Un *uomo buono* è un uomo di buoni sentimenti.

6. Il *vecchio amico* lo si conosce da tanto tempo; l'*amico vecchio* è quello che ha un'età avanzata.

7. Il *poveruomo* è quello che suscita compassione per le sue condizioni di vita; l'*uomo povero* è quello che ha pochi mezzi per vivere.

8. Un *certo successo* è un successo di qualche misura, non troppo basso ma neppure troppo alto; un *successo certo* è un successo sicuro, garantito.

9. Incontrare *diverse persone* significa incontrarne parecchie; incontrare *persone diverse* significa incontrarne di varie per indole, abitudini, nazionalità, eccetera.

10. Conoscere *numerose famiglie* significa conoscerne molte; le *famiglie numerose* sono quelle composte da molte persone.

11. Comprare un *nuovo libro* significa comprarne un altro dopo quelli già acquistati; *un libro nuovo* è invece un libro uscito da poco o, in particolare nel caso di un libro scolastico, un libro che non è di seconda mano.

12. Una *gran signora* è quella che ha classe; una *signora grande* è quella che ha la caratteristica fisica della grandezza.

Punteggio

1	2	3	4	5	6	7	8	9	10	11	12	T

9

Comparativi e superlativi

Qual è il superlativo di…

1. acre?
2 e 3. aspro?
4. benevolo?
5. celebre?
6. integro?
7. malefico?
8. malevolo?
9 e 10. misero?
11 e 12. salubre?

Gli aggettivi con due numeri hanno due superlativi, e vanno indicati entrambi.

Soluzioni

1. acerrimo; 2 e 3. asperrimo e asprissimo; 4. benevolentissimo;
5. celeberrimo; 6. integerrimo; 7. maleficentissimo;
8. malevolentissimo; 9 e 10. miserrimo e miserissimo;
11 e 12. saluberrimo e salubrissimo.

Ecco la spiegazione:

Gli aggettivi *acre, aspro, celebre, integro, misero* e *salubre* formano il superlativo con l'uscita *-errimo*, che si aggiunge alla forma che le sei parole avevano originariamente in latino: *acer > acerrimo, asper > asperrimo, celeber > celeberrimo, integer > integerrimo, miser > miserrimo, saluber > saluberrimo. Aspro, misero* e *salubre* hanno anche il superlativo regolare in *-issimo: asprissimo, miserissimo* e *salubrissimo. Benevolo, malefico* e *malevolo* formano il superlativo con l'uscita *-entissimo*. Anche queste forme riprendono direttamente quelle latine, che erano *benevolentissimum, maleficentissimum* e *malevolentissimum.*

Punteggio

1	2	3	4	5	6	7	8	9	10	11	12	**T**

10

Professione: verbo
Stato civile: coniugato

Qual è la seconda persona singolare dell'imperativo di...

1. andare?
2. avere?
3. dare?
4. divenire?
5. diventare?
6. essere?
7. fare?
8. imporre?
9. potere?
10. sapere?
11. stare?
12. trarre?

Soluzioni

1. vai, va' o va; 2. abbi; 3. dai, da' o da; 4. divieni; 5. diventa;
6. sii; 7. fai, fa' o fa; 8. imponi; 9. (non esiste); 10. sappi;
11. stai, sta' o sta; 12. trai.

Punteggio

1	2	3	4	5	6	7	8	9	10	11	12	T

11

Scusi, ha visto passare un participio?

Qual è il participio passato di...

1. adempiere (o adempire)?
2. eccellere?
3. eccedere?
4. erigere?
5. erompere?
6. giacere?
7. nuocere?
8. pascere?
9. presumere?
10. scindere?
11. scorrere?
12. tergere?

Soluzioni

1. adempiuto; 2. eccelso; 3. ecceduto; 4. eretto; 5. erotto;
6. giaciuto; 7. nociuto; 8. pasciuto; 9. presunto; 10. scisso;
11. scorso; 12. terso.

Punteggio

1	2	3	4	5	6	7	8	9	10	11	12	**T**

12

Un tuffo nel passato (remoto)

Qual è il passato remoto di...

1. ardere?
2. cogliere?
3. contenere?
4. contrarre?
5. dedurre?
6. deprimere?
7. dissolvere?
8. distorcere?
9. flettere?
10. indulgere?
11. mungere?
12. parere?

Coniugate tutte le persone.

Soluzioni

1. arsi, ardesti, arse, ardemmo, ardeste, arsero.
2. colsi, cogliesti, colse, cogliemmo, coglieste, colsero.
3. contenni, contenesti, contenne, contenemmo, conteneste, contennero.
4. contrassi, contraesti, contrasse, contraemmo, contraeste, contrassero.
5. dedussi, deducesti, dedusse, deducemmo, deduceste, dedussero.
6. depressi, deprimesti, depresse, deprimemmo, deprimeste, depressero.
7. dissolsi, dissolvesti, dissolse, dissolvemmo, dissolveste, dissolsero.
8. distorsi, distorcesti, distorse, distorcemmo, distorceste, distorsero.
9. flessi, flettesti, flesse, flettemmo, fletteste, flessero.
10. indulsi, indulgesti, indulse, indulgemmo, indulgeste, indulsero.
11. munsi, mungesti, munse, mungemmo, mungeste, munsero.
12. parvi, paresti, parve, paremmo, pareste, parvero.

Punteggio

1	2	3	4	5	6	7	8	9	10	11	12	T

13

Ma mi facci il piacere!

Qual è il congiuntivo presente di...

1. anteporre?
2. equivalere?
3. liquefare?
4. nuocere?
5. prosciogliere?
6. radere?
7. rasare?
8. salire?
9. sedurre?
10. sparire?
11. udire?
12. uscire?

Coniugate tutte le persone.

Soluzioni

1. anteponga, anteponga, anteponga, anteponiamo, anteponiate, antepongano.
2. equivalga, equivalga, equivalga, equivaliamo, equivaliate, equivalgano.
3. liquefaccia, liquefaccia, liquefaccia, liquefacciamo, liquefacciate, liquefacciano.
4. noccia, noccia, noccia, nuociamo (o nociamo), nuociate (o nociate), nocciano.
5. prosciolga, prosciolga, prosciolga, prosciogliamo, prosciogliate, prosciolgano.
6. rada, rada, rada, radiamo, radiate, radano.
7. rasi, rasi, rasi, rasiamo, rasiate, rasino.
8. salga, salga, salga, saliamo, saliate, salgano.
9. seduca, seduca, seduca, seduciamo, seduciate, seducano.
10. sparisca, sparisca, sparisca, spariamo, spariate, spariscano.
11. oda, oda, oda, udiamo, udiate, odano.
12. esca, esca, esca, usciamo, usciate, escano.

Punteggio

1	2	3	4	5	6	7	8	9	10	11	12	T

14

Grammaticherie

Le seguenti frasi sono giuste o sbagliate?

1. Quando vedrò Marco, gli parlerò.
2. Quando vedrò Claudia, gli parlerò.
3. Quando vedrò Marco e Claudia, gli parlerò.
4. Quando vedrò Marco e Claudia, parlerò loro.
5. Lo studente che gli ho dato i libri.
6. L'anno che scoppiò la guerra.
7. Nessuno lo ha cercato.
8. Lo ha cercato nessuno.
9. Non lo ha cercato nessuno.
10. Non mi diverte niente.
11. Mi diverte niente.
12. Niente mi diverte.

Soluzioni

1. giusto; 2. sbagliato; 3. giusto; 4. giusto; 5. sbagliato; 6. giusto; 7. giusto; 8. sbagliato; 9. giusto; 10. giusto; 11. sbagliato; 12 giusto.

Ecco le regole:

Risposte 1, 2, 3 e 4. L'uso del pronome *gli* è sbagliato solo in 2, in sostituzione della sequenza *a lei* (femminile singolare); è invece corretto non solo in 1, in sostituzione di *a lui* (maschile singolare), ma anche in 3, in sostituzione di *a loro* (maschile e/o femminile plurale): con questo valore lo adoperò Alessandro Manzoni nei *Promessi sposi*. In sostituzione di *a loro* è ammesso anche *loro*, senza la preposizione *a*, come in 4.

Risposte 5 e 6. Adoperando il pronome relativo, spesso si ricorre al *che* anche quando bisognerebbe usare la forma *cui*. È un errore: *che* si può usare solo per il soggetto e per il complemento oggetto; in tutti gli altri casi si deve usare *cui*. Perciò la forma corretta di 5 è *Lo studente a cui* (oppure *cui*) *ho dato i libri*. Fa eccezione il *che* con valore temporale, presente in 6: in questo caso si può dire e scrivere sia *L'anno in cui scoppiò la guerra*, sia *L'anno che scoppiò la guerra*. Questo *che* temporale adoperato al posto di *in cui* è documentato in tutti gli scrittori italiani.

Risposte 7, 8, 9, 10, 11 e 12. *Niente*, *nulla* e *nessuno* quando precedono il verbo non richiedono un'altra negazione. Se seguono il verbo, invece, la richiedono. Dunque bisogna dire: *Nessuno lo ha cercato*, oppure *Non lo ha cercato nessuno*. E poi: *Niente mi diverte*, o *Non mi diverte niente*.

Punteggio

1	2	3	4	5	6	7	8	9	10	11	12	**T**

15

Ipse dixit

Correggete le bestialità dette o scritte da questi personaggi pubblici:

1. «L'immenso capitale privato accumulato grazie al terzo debito pubblico del mondo fanno sì che scontiamo noi le scelte fatte dalle generazioni che ci hanno preceduto.» (Michel Martone)
2. «Gli operai stanno con quelli che permette loro di arrivare a fine mese.» (Antonio Di Pietro).
3. «Io sono tra coloro che vuole battere Berlusconi politicamente.» (Rosy Bindi)
4. «Hallenius, che ha un acne giovanile che più che a Ibra potrebbe farlo assomigliare a Cassano, arrossisce.» (Gessi Adamoli, «la Repubblica»).
5. «Bisogna consentire in tutti i carceri minorili la possibilità di frequentare la scuola.» (Mariastella Gelmini)
6. «Sto costruendo una formazione politica che voglio arrivare al 51%.» (Antonio Di Pietro)

7. «In questa sala che lei mi ha invitato ho detto una cosa ben precisa.» (Domenico Scilipoti)
8. «Questo è l'istituto che noi siamo orgogliosi di aver stretto una collaborazione.» (Alessandro Di Pietro)
9. «Qual è invece la cosa che tu non rinunceresti per la musica?» (Francesco Facchinetti)
10. «Qual'è il peso specifico della libertà di parola?» (Roberto Saviano)
11. «Un ragazzo a ventitre anni raggiunge il massimo della sua intelligenza.» (Michel Martone)
12. «Il commissariamento avverrà nelle prossimissime settimane.» (Silvio Berlusconi)

Soluzioni

1. «L'immenso capitale privato accumulato grazie al terzo debito pubblico del mondo *fa* sì che scontiamo noi le scelte fatte dalle generazioni che ci hanno preceduto.»
2. «Gli operai stanno con quelli che *permettono* loro di arrivare a fine mese.»
3. «Io sono tra coloro che *vogliono* battere Berlusconi politicamente.»
4. «Hallenius, che ha *un'acne* giovanile che più che a Ibra potrebbe farlo assomigliare a Cassano, arrossisce.»
5. «Bisogna consentire in *tutte le carceri* minorili la possibilità di frequentare la scuola.»
6. «Sto costruendo una formazione politica *con cui* voglio arrivare al 51%.»
7. «In questa sala *in cui* lei mi ha invitato ho detto una cosa ben precisa.»
8. «Questo è l'istituto *con cui* noi siamo orgogliosi di aver stretto una collaborazione.»
9. «Qual è invece la cosa *a cui* tu non rinunceresti per la musica?»
10. «*Qual è* il peso specifico della libertà di parola?»
11. «Un ragazzo a *ventitré* anni raggiunge il massimo della sua intelligenza.»
12. «Il commissariamento avverrà nelle *prossime* settimane.»

Punteggio

1	2	3	4	5	6	7	8	9	10	11	12	T

16

Siamo tutti lessicografi

Definite queste parole:

1. baratro
2. codino
3. eburneo
4. fallace
5. fedifrago
6. garrulo
7. ieratico
8. manfrina
9. periplo
10. perspicuo
11. schiatta
12. specola

Soluzioni

1. 'Luogo profondo e oscuro'; 'abisso'; 'voragine'. *Baratro* deriva dall'antica parola greca *barathron*, che significava 'precipizio' e che si riferiva, in particolare, a quello ateniese, in cui venivano gettati i condannati a morte.

2. 'Reazionario', 'conservatore', specialmente in politica. Questo significato della parola *codino* deriva dalla moda aristocratica di portare i capelli annodati in un codino, molto diffusa tra i sostenitori della monarchia ai tempi della rivoluzione francese e della restaurazione.

3. 'Di avorio'; 'che ha il colore dell'avorio'; 'bianchissimo', 'candido'. L'aggettivo *eburneo* deriva dal latino *eburneum*, a sua volta proveniente dal sostantivo *ebur* (= 'avorio').

4. 'Falso', 'illusorio'; 'che può trarre in inganno'. Deriva dall'aggettivo latino *fallacem*, che aveva lo stesso significato.

5. 'Infedele in amore'; 'chi non tiene fede a un giuramento, a un patto, a un impegno'; 'traditore'. La parola deriva dal latino *foedifragum*, composto da *foedus* (= 'patto') e da un derivato del verbo *frangere* (= 'spezzare').

6. 'Allegro', 'chiassoso'. La parola *garrulo* deriva dal latino *garrulum*, che a sua volta derivava dal verbo *garrire* (= 'gridare').

7. 'Che ha un tono e un comportamento solenne.' L'aggettivo *ieratico* deriva dal latino *hieraticum*, che a sua volta era la continuazione del greco *hieratikos*, cioè 'che riguarda il sacerdote' (nella lingua greca *hieros* significava 'sacro').

8. 'Chiacchiera insistente e inconcludente', 'lungaggine'. Il termine *manfrina* ha alla sua origine una parola del dialetto piemontese, *monferrina*, che indica un ballo tipico del Piemonte. Da qui è passato a riferirsi a una musica ripetitiva e noiosa.

9. 'Navigazione intorno a un'isola o a un continente'; 'circum-navigazione'. La parola *periplo* è arrivata nella lingua italiana dal francese *périple*: alla sua base c'era il latino *periplum*, dal greco *periplous*, composta da *peri-* (= 'intorno') e *plous* (= 'navigazione').

10. 'Chiaro', 'evidente'. Dal latino *perspicuum*, aggettivo derivato dal verbo *perspicere*, che significava 'osservare', 'esaminare attentamente'.

11. 'Stirpe', 'discendenza'. *Schiatta* deriva da una parola gotica o longobarda, *slatha*, che significava già anticamente 'stirpe'.

12. 'Osservatorio astronomico posto nella parte alta di un edificio, da dove è possibile osservare il cielo.' Il termine deriva dal latino *speculam*, che significava 'vedetta', 'osservatorio', e che a sua volta era derivata dal verbo *specere* (= 'osservare').

Punteggio

1	2	3	4	5	6	7	8	9	10	11	12	T

17

Il vocabolario rovesciato

Quale parola corrisponde alle seguenti definizioni?

1. Accordo raggiunto con reciproche concessioni.
   a) compromesso b) patteggiamento c) contratto
2. Centro principale di un processo patologico.
   a) contagio b) eziologia c) focolaio
3. Berretto tondo e senza tesa usato dai magistrati, dagli avvocati e dai professori universitari quando indossano la toga.
   a) camauro b) tocco c) calotta
4. Cucitura dei margini di una ferita.
   a) sbrego b) coagulo c) sutura
5. Vite con testa a incavo esagonale.
   a) brugola b) cambretta c) bulletta
6. Lampada a stelo.
   a) applique b) plafoniera c) piantana
7. Attrezzo di legno applicato al collo dei buoi per sottoporli in coppia al lavoro.
   a) giogo b) cavezza c) mordacchia

8. Piccolo locale riservato al portiere, all'ingresso di edifici pubblici o privati.

   a) androne b) vestibolo c) guardiola

9. Colonnetta di ghisa o di ferro, sulle navi o nelle banchine dei porti, per avvolgervi le cime d'ormeggio o le catene delle ancore.

   a) verricello b) paranco c) bitta

10. Cassetta per raccogliere le elemosine, le schede di una votazione, i biglietti di una lotteria.

    a) bussola b) sacchetto c) scarsella

11. Fascia di tessuto che sovrasta la parte superiore di una tenda.

    a) veneziana b) mantovana c) festone

12. Sala antistante la platea di un teatro o di un cinema, dove il pubblico si riunisce durante gli intervalli dello spettacolo.

    a) proscenio b) barcaccia c) ridotto o foyer

Soluzioni

1. a; 2. c; 3. b; 4. c; 5. a; 6. c; 7. a; 8. c; 9. c; 10. a; 11. b; 12 c.

Punteggio

1	2	3	4	5	6	7	8	9	10	11	12	T

18

L'intruso

Quale delle quattro parole non è un sinonimo delle altre?

1. a) poltrone b) cialtrone c) pigro d) indolente
2. a) intervenire b) intercedere c) intersecare
   d) interessarsi
3. a) gradimento b) apprezzamento c) piacere
   d) proponimento
4. a) saturo b) sapido c) pieno d) colmo
5. a) appagare b) esaudire c) saldare
   d) accontentare
6. a) inattaccabile b) incoercibile c) prepotente
   d) prorompente
7. a) fasullo b) scaltro c) astuto d) furbo
8. a) esautorare b) esaudire c) accontentare
   d) appagare
9. a) accusare b) imputare c) incolpare
   d) incappare
10. a) quota b) frazione c) quotazione d) porzione
11. a) puzza b) fetore c) tanfo d) odore
12. a) oltraggio b) ingiuria c) assalto d) insulto

Soluzioni

1. b. *Cialtrone*, che indica una persona volgare, sciatta, trasandata ma non contraddistinta dalla pigrizia, che invece accomuna le altre parole.

2. c. *Intersecare*, che significa 'attraversare tagliando'; *intervenire*, *intercedere*, *interessarsi* significano 'intervenire presso qualcuno per ottenere qualcosa in favore di altri'.

3. d. *Proponimento*, che significa 'proposito', 'impegno preso tra sé e sé'; *gradimento*, *apprezzamento* e *piacere* hanno in comune la valutazione positiva, buona, soddisfacente di qualcosa.

4. b. *Sapido*, che significa 'saporito' (e, in senso figurato, 'spiritoso') e non ha niente a che fare con la pienezza, che invece accomuna le altre parole.

5. c. *Saldare*, che significa 'congiungere insieme due o più parti', 'collegare', 'pagare interamente'; *appagare*, *esaudire* e *accontentare*, invece, significano 'soddisfare', 'rendere contento'.

6. a. *Inattaccabile*, che significa 'che non può essere attaccato, messo in discussione'; gli altri tre aggettivi, invece, significano 'incontenibile', 'che non si può reprimere'.

7. a. *Fasullo*, che significa 'falso' e non ha niente a che fare con la furbizia, che invece accomuna le altre parole.

8. a. *Esautorare*, che significa 'privare dell'autorità, del prestigio'; *esaudire*, *accontentare* e *appagare* significano tutte e tre 'soddisfare'.

9. d. *Incappare*, che significa 'imbattersi in una persona o in una cosa dannosa'; *accusare*, *imputare* e *incolpare* indicano tutte e tre l'azione di attribuire a qualcuno la responsabilità di qualcosa di negativo.

10. c. Mentre la parola **quotazione** indica la valutazione o il prezzo di qualcosa, le parole *quota*, *frazione* e *porzione* indicano la parte di qualcosa.

11. d. **Odore**. Anche *puzza*, *fetore* e *tanfo* significano 'odore', ma solo con riferimento a un odore sgradevole.

12. c. **Assalto**, che a differenza di *oltraggio*, *ingiuria* e *insulto* non rinvia all'idea dell'offesa.

Punteggio

1	2	3	4	5	6	7	8	9	10	11	12	T

19

Parole firmate

Che cosa vuol dire...

1. dannunziano?
2. felliniano?
3. gattopardesco?
4. lillipuziano?
5. lolitesco?
6. michelangiolesco?
7. napoleonico?
8. neroniano?
9. rocambolesco?
10. rodomontesco?
11. sibarita?
12. vittoriano?

Soluzioni

1. 'Ricercato', 'decadente' (come il poeta Gabriele D'Annunzio, con riferimento al suo modo di vivere avventuroso ed eccentrico).

2. 'Onirico', 'grottesco', 'surreale' (come le situazioni, i personaggi e le atmosfere dei film di Federico Fellini).

3. 'Che in apparenza appoggia i cambiamenti ma in realtà non vuole cambiare niente e cerca solo di mantenere i propri privilegi' (come don Fabrizio, principe di Salina, protagonista del romanzo *Il Gattopardo* di Giuseppe Tomasi di Lampedusa, del 1958).

4. 'Di statura minuscola', 'di dimensioni ridotte' (come gli abitanti del paese di Lilliput descritti nei *Viaggi di Gulliver*, romanzo satirico scritto nel 1726 dallo scrittore irlandese Jonathan Swift).

5. 'Malizioso', 'provocante', 'falsamente innocente' (dal personaggio di *Lolita*, protagonista dell'omonimo romanzo di Vladimir Nabokov, del 1955, e del film di Stanley Kubrick, del 1962).

6. 'Possente', 'grandioso' (come le opere di Michelangelo Buonarroti).

7. 'Sontuoso', 'grandioso', 'eccezionale' (come Napoleone Bonaparte).

8. 'Spietato', 'crudele' (come l'imperatore Nerone, descritto da alcuni storici latini come un despota violento e dissoluto).

9. 'Rischioso', 'audace', 'spericolato' (come Rocambole, il protagonista dei romanzi del francese Pierre Alexis Ponson du Terrail, scritti tra il 1857 e il 1871).

10. 'Prepotente', 'spavaldo', 'spaccone' (come Rodomonte, personaggio dell'*Orlando furioso* di Ludovico Ariosto).

11. 'Amante del lusso e dei piaceri più raffinati' (come si racconta che fossero gli abitanti di Sibari, antica e ricca città della Magna Grecia).

12. 'Moralista', 'puritano' (come l'età in cui in Inghilterra regnò la regina Vittoria).

Punteggio

1	2	3	4	5	6	7	8	9	10	11	12	T

20

Dal nome proprio al nome comune

Chi è o che cos'è...

1. un adone?
2. un anfitrione?
3. un'arpia?
4. un atlante?
5. un barabba?
6. un cerbero?
7. una mecca?
8. una megera?
9. una messalina?
10. un olimpo?
11. un sardanapalo?
12. un titano?

Soluzioni

1. Un giovane molto bello. Dal nome di Adone, dio amato da Venere e da Proserpina per la sua straordinaria bellezza.

2. Un padrone di casa molto ospitale, accogliente, generoso. Dal nome di Anfitrione, protagonista dell'omonima commedia di Molière, a sua volta derivante da *Amphitruo*, titolo di un'opera del commediografo latino Plauto.

3. Una donna bisbetica, avara, dal carattere astioso e di aspetto sgradevole. Dal nome di varie figure della mitologia greca che erano rappresentate come mostri con testa, busto e braccia di donna e il resto di uccello.

4. Un libro che raccoglie carte geografiche. Dal nome di Atlante, il gigante mitologico che sosteneva il mondo sulle spalle, la cui immagine era raffigurata sulla copertina della raccolta di carte geografiche del celebre cartografo Gerardo Mercatore (1595).

5. Un malfattore, un delinquente. Dal nome di Barabba, il ladrone che fu liberato da Ponzio Pilato al posto di Gesù.

6. Una persona molto severa, intrattabile, intransigente. Dal nome di Cerbero, il mitico cane a tre teste posto a custodia delle sedi infernali.

7. Un luogo considerato come principale punto di riferimento per una certa attività. Dal nome La Mecca, città dell'Arabia Saudita, patria di Maometto e centro religioso dell'Islam.

8. Una donna brutta, maligna, di carattere litigioso. Dal nome di Megera, una delle tre Furie o Erinni, orribili mostri della mitologia greca.

9. Una donna depravata, immorale, dissoluta. Dal nome di Valeria Messalina, moglie dell'imperatore romano Claudio, famosa per il comportamento scandaloso e immorale.

10. Un luogo riservato a pochi eletti; oppure un gruppo ristretto di persone considerate superiori o privilegiate rispetto agli altri. Dal nome del monte Olimpo, ritenuto, nell'antica Grecia, la residenza degli dei.
11. Una persona che vive in modo dispendioso e lussuoso. Dal nome di Sardanapalo, re assiro famoso per la ricchezza e la vita dissoluta.
12. Una persona dotata di forza eccezionale, o che eccelle in un'arte, in un'attività. Dal nome di ciascuno dei giganti che, secondo la mitologia greca, cercarono di impadronirsi dell'Olimpo e furono sconfitti da Zeus.

Punteggio

1	2	3	4	5	6	7	8	9	10	11	12	**T**

21

Gratta e vinci 1

Chi si nasconde sotto questi soprannomi o giri di parole?

1. il Maligno
2. l'Eroe dei due mondi
3. la Pantera di Goro
4. l'Aquila di Ligonchio
5. il Divin codino
6. la Lady di ferro
7. il Re gentiluomo (o galantuomo)
8. il Grande Corso
9. Pel di Carota
10. il Passator cortese
11. il Líder máximo
12. il Campionissimo

Soluzioni

1. Il diavolo, così chiamato per i suoi poteri nefasti.
2. Giuseppe Garibaldi, detto così per le imprese militari sia in Europa sia in America latina.
3. La cantante Milva, detta così perché nata a Goro.
4. La cantante Iva Zanicchi, perché nata a Ligonchio.
5. Il calciatore Roberto Baggio, così soprannominato perché quando giocava aveva i capelli legati in un codino.
6. Margaret Thatcher, ex prima ministra del Regno Unito, chiamata così per la durezza della sua politica.
7. Re Vittorio Emanuele II di Savoia, perché non abrogò lo Statuto albertino (la costituzione di allora).
8. Napoleone Bonaparte, nato in Corsica.
9. La cantante Rita Pavone, chiamata in questo modo per il colore dei capelli.
10. Il brigante romagnolo Stefano Pelloni, noto per la crudeltà ma anche per la leggendaria generosità.
11. Fidel Castro, definito «condottiero supremo» della rivoluzione cubana.
12. Fausto Coppi, così soprannominato in quanto grandissimo campione del ciclismo.

Punteggio

1	2	3	4	5	6	7	8	9	10	11	12	T

22

Gratta e vinci 2

Chi o che cosa si nasconde sotto questi soprannomi o giri di parole?

1. il Nolano
2. l'Allobrogo
3. il Mantovano
4. il Pirata
5. l'Aquinate
6. lo Stagirita
7. l'Altitonante
8. il Pelide
9. il Bel Paese
10. l'Arpinate
11. la Perfida Albione
12. la Superba

Soluzioni

1. Il filosofo Giordano Bruno, nato a Nola.
2. Lo scrittore Vittorio Alfieri, in quanto piemontese, e quindi discendente dell'antico popolo degli Allobrogi, anticamente stanziati in una parte del Piemonte.
3. Il poeta latino Virgilio, nato a Mantova.
4. Il ciclista Marco Pantani, così definito per l'abitudine di portare una bandana intorno al capo, alla maniera dei pirati.
5. Il filosofo e teologo San Tommaso, nato ad Aquino.
6. Il filosofo Aristotele, nato a Stagira, antica città della Grecia.
7. Giove, re degli dei, detto così perché padrone del fulmine che «tuona dall'alto».
8. Achille, detto così in quanto figlio di Peleo.
9. L'Italia, detta così dal titolo dell'opera più famosa di Antonio Stoppani (1824-1891), in cui sono descritte le principali bellezze naturali d'Italia (titolo tratto, a sua volta, dai versi del sonetto CXLVI del *Canzoniere* di Francesco Petrarca: «[...] il bel paese / ch'Apennin parte, e 'l mar circonda e l'Alpe»).
10. L'oratore e scrittore latino Marco Tullio Cicerone, nato ad Arpino.
11. La Gran Bretagna, così indicata fin dal Settecento prima dalla rivale Francia e poi da Mussolini nella propaganda antibritannica. Albione era l'antico nome della Gran Bretagna.
12. Genova, definita da Francesco Petrarca, in una relazione di viaggio del 1358, «signora del mare, superba per uomini e per mura».

Punteggio

1	2	3	4	5	6	7	8	9	10	11	12	T

23

Uno zoo di parole

Chi è o che cos'è...

1. uno zimbello?
2. una chimera?
3. un coccodrillo?
4. un delfino?
5. un falco?
6. il gallo della Checca?
7. un grillo parlante?
8. la piovra?
9. l'agnello di Dio?
10. una lucciola?
11. un mandrillo?
12. un merlo?

Soluzioni

1. Una persona che è oggetto di prese in giro (dal nome dato agli uccelli usati come richiamo per altri uccelli, tenuti legati per una zampa con una cordicella).

2. Un sogno irrealizzabile, un'utopia. Nella mitologia classica la *chimera* era un mostro con corpo e testa di leone, una seconda testa di capra sulla schiena e la coda di serpente; l'uso figurato del termine risale forse a Leonardo da Vinci.

3. La biografia di un personaggio ancora vivente, aggiornata di continuo e tenuta pronta negli archivi dei giornali per essere pubblicata in caso di morte. Trattandosi di una commemorazione già preparata e dunque non del tutto sincera, il nome si ricollega alla tradizione popolare secondo la quale i coccodrilli piangerebbero dopo avere divorato la preda, da cui l'espressione «lacrime di coccodrillo» per indicare un pentimento falso o tardivo.

4. Il probabile successore di un personaggio importante (dal titolo assegnato anticamente al primogenito del re di Francia, detto *delfino* perché signore del Delfinato, regione del Sudest della Francia).

5. Il sostenitore di una linea intransigente, soprattutto in politica. Il termine si è diffuso negli anni Sessanta come traduzione dell'inglese *hawk*, con riferimento all'aggressività di questo uccello.

6. Un uomo che ha successo con le donne. L'espressione si è diffusa nel Cinquecento grazie a un componimento di Giulio Cesare Croce in cui si raccontavano le vicende della signora Checca e del suo amante, detto scherzosamente «gallo»; nell'Ottocento anche l'opera *L'elisir d'amore* di Gaetano Do-

nizetti contribuì a diffondere l'espressione, con i versi «Egli è il gallo della Checca / tutte segue, tutte becca».

7. Chi fa il saccente, il moralista; dal personaggio sempre pronto a rimproverare Pinocchio, nel celebre libro di Carlo Collodi.

8. La mafia, che raggiunge e stritola tutto e tutti, come fa la piovra con i suoi tentacoli.

9. Gesù Cristo. Si tratta della traduzione dell'espressione latina *Agnus Dei*; nel Nuovo Testamento l'agnello è il simbolo di Gesù immolato, vittima innocente, per la salvezza degli uomini; nel Vangelo di Giovanni, Gesù è indicato come «l'agnello di Dio che toglie il peccato del mondo».

10. La parola ha due significati estensivi. Il primo, ormai poco usato, indicava la donna che accompagnava gli spettatori al loro posto nel buio della sala cinematografica facendo luce con una torcia elettrica; il secondo indica una prostituta (alla diffusione di questo significato ha contribuito una canzone del primo Novecento intitolata *Lucciole vagabonde*, che diceva: «Noi siam come le lucciole / viviamo nelle tenebre / schiave d'un mondo brutal / noi siamo i fiori del mal»).

11. Un uomo che ha un'intensissima attività sessuale (per la somiglianza, nel comportamento, con la scimmia africana che ha questo nome, caratterizzata dalle parti posteriori del corpo colorate di rosso, verde e azzurro, e nota per l'aggressività e la vivacità sessuale).

12. Ciascuno dei rialzi in muratura eretti a intervalli regolari in cima alle mura di castelli, torri, palazzi antichi; così detto, probabilmente, perché vi si appoggiavano i merli.

Punteggio

1	2	3	4	5	6	7	8	9	10	11	12	**T**

24

Va' a saperlo!

Indovinate l'etimologia delle seguenti parole:

1. La parola *afrodisiaco* (un nome o un aggettivo che indica una sostanza che stimola o aumenta il desiderio sessuale) deriva...
   a) dal nome di *Afrodite*, dea greca dell'amore (la Venere dei romani);
   b) dal prefisso *afro-*, perché le prime sostanze afrodisiache venivano dall'Africa;
   c) da *afro-* e *disio*, cioè *desiderio* in italiano antico: 'desiderio africano'.

2. La parola *autarchia*, che significa 'autosufficienza economica di una nazione', deriva...
   a) dal nome del tiranno di Mitilene Atarkos, che nel VI secolo a.C., per timore di perdere il potere, vietò qualsiasi forma di scambio commerciale fra la città da lui dominata e le altre *poleis*;

b) dal termine *autarkeia*, che in greco antico significava 'autosufficienza';

c) dal titolo di un'opera del filosofo Tommaso Campanella, *Autarchia o la città del sole*, in cui si ipotizzava una società ideale totalmente autosufficiente.

3. La parola *camelia*…

a) viene dal nome dei *cammelli*, che se ne nutrono;

b) viene dal nome della *camala*, una polvere di colore rosso, per la somiglianza con il colore dei petali del fiore;

c) è il nome che Linneo ha dato al fiore in onore del gesuita padre *Kamel*, che portò la pianta dal Giappone in Europa.

4. La parola *carnevale* deriva…

a) dalla parola *carro*: non a caso le sfilate di carri animano i carnevali di molte città;

b) dall'espressione *carne levare*, perché dopo questo periodo cominciava la quaresima, durante la quale non si poteva mangiare carne;

c) dalla parola *neve*, perché il carnevale cade generalmente a febbraio, mese in cui le precipitazioni nevose sono frequenti.

5. Il nome *carpaccio*, che indica il caratteristico 'piatto di carne cruda affettata molto sottile'…

a) deriva dall'aggettivo latino *carpaceus*, che significa 'della carpa', perché originariamente a essere mangiata semicruda, con olio, sale e limone, era la *carpa*;

b) fu suggerito a Giuseppe Cipriani, proprietario del famoso *Harry's Bar*, dalla sfumatura di rosso preferita del pittore veneziano Vittore Carpaccio, di cui si teneva una mostra a Venezia nel 1963.

c) è la riduzione del più antico *scarpaccio*, che faceva riferimento al fatto che la carne, rossa e affettata molto sottile, ricordava la pelle e la suola di una scarpa.

6. La parola *corolla* deriva…

   a) dal greco *kuruleia* (= 'colorata'), con riferimento alla vivacità dei petali;

   b) dal latino *corolla* (= 'coroncina'), con riferimento alla forma dei petali;

   c) dal germanico *krullan* (= 'crollare'), con riferimento alla caducità dei petali.

7. Il sostantivo *culinaria*, che significa 'arte della cucina'…

   a) è un prestito dal francese *culinaire*, a sua volta derivato dal latino *culinarium*, cioè 'della cucina';

   b) riprende una rozza espressione rinascimentale, che faceva riferimento alla posizione china sul paiolo agganciato al camino;

   c) è una riduzione del latino tardo *cunula linearia*, che voleva dire 'cucina ordinata'.

8. La parola *farmacia*…

   a) è una forma desonorizzata di *far magia*, dovuta al fatto che in età medievale e umanisticorinascimentale la professione del mago e quella dell'alchimista avevano molto in comune;

    b) è una parola che deriva dal latino *pharmacum*, a sua volta derivata dal greco *farmacon*, che significava 'medicina', 'medicamento';

    c) è un prestito dalla base inglese *farm*, 'fattoria', qui inteso nel senso di 'luogo dove si raccolgono e si lavorano le piante adatte a curare'.

9. La parola *lavagna* deriva…

    a) dal nome del conte *Jean de Lavagne*, che per primo si servì di questo tipo di ardesia per scrivere con il gesso;

    b) dal nome di *Lavagna*, in provincia di Genova, da dove vengono le lastre di ardesia con cui si fanno le lavagne;

    c) dal verbo latino *lavare*, per il fatto che la lastra, dopo avervi scritto sopra, può essere ripulita.

10. La *magnolia* è stata catalogata da Linneo con questo nome…

    a) per le grandi dimensioni del fiore;

    b) in onore di un botanico francese di nome Magnol;

    c) dalla base latina *maniae olea*, cioè 'olio della follia', dovuta all'abitudine di inalarne l'essenza durante riti mistico-magici.

11. La parola *onanismo*, che indica la 'masturbazione maschile', deriva…

    a) dal nome di Onan, personaggio biblico punito da Dio perché disperdeva il proprio seme;

b) dalla persuasione che l'eccesso di masturbazione possa rallentare la crescita fino a provocare il nanismo;

c) dall'esclamazione *oh!* che spesso accompagna lo svolgimento di questa pratica.

12. La parola *salsiccia* deriva…

a) dall'espressione del latino tardo *salsa insicia* (= 'polpetta salata');

b) dall'espressione del latino tardo *sale siccare* (= 'seccare con il sale');

c) dall'espressione del latino tardo *salsum secare* (= 'tagliare un cibo salato').

Soluzioni

1. a; 2. b; 3. c; 4. b; 5. b; 6. b; 7. a; 8. b; 9. b; 10. b; 11. a; 12. a.

Punteggio

1	2	3	4	5	6	7	8	9	10	11	12	**T**

25

Geografia delle parole

1. *bistecca* è una parola di origine tedesca, inglese o spagnola?
2. *creanza* è una parola di origine francese, araba o spagnola?
3. *galante* è un aggettivo di origine spagnola, araba o francese?
4. *glasnost* è una parola danese, tedesca o russa?
5. *mantiglia* è una parola di origine francese, araba o spagnola?
6. *puntiglio* è una parola di origine tedesca, inglese o spagnola?
7. *schettinare* (= 'pattinare con i pattini a rotelle') è un verbo di origine tedesca, inglese o francese?
8. *squadriglia* è una parola di origine inglese, francese o spagnola?
9. *summit* è una parola russa, inglese o olandese?
10. *tennis* è una parola di origine inglese, francese o svedese?
11. *troupe* è una parola francese, inglese o svedese?
12. *wafer* è una parola tedesca, francese o inglese?

Soluzioni

1. È l'adattamento dell'inglese *beef-steak* (= 'costola di bue').
2. È la parola spagnola *crianza*, derivata dal verbo *criar* (= 'allevare bene'), che a sua volta viene dal latino *creare* (= 'creare').
3. È l'adattamento del francese *galant*, che dal significato originario di 'che si diverte' è passato a quello di 'innamorato', anche per l'influsso della parola *gale* (= 'ornamento', 'eleganza').
4. È una parola russa che significa 'trasparenza', 'libertà di espressione e di informazione'.
5. È la parola spagnola *mantilla*, cioè 'piccola *manta*', 'piccola coperta'.
6. È la parola spagnola *puntillo*, il 'piccolo punto' d'onore.
7. È l'adattamento dell'inglese *skating*, che è il gerundio di *to skate* (= 'pattinare').
8. È l'adattamento del termine spagnolo *escuadrilla*, che propriamente voleva dire 'gruppo di quattro persone'.
9. È una parola inglese che significa 'incontro al vertice tra capi di Stato'.
10. È l'abbreviazione dell'inglese *lawn-tennis*, a sua volta derivato dall'imperativo francese *tenez!* (= 'tenete!') pronunciato durante il gioco.
11. È una parola francese che significa 'gruppo di persone impegnate nella produzione di un'opera teatrale o di un film'.
12. È una parola inglese che indica il noto 'biscotto fatto di due cialde ripiene di crema o cioccolato'.

Punteggio

1	2	3	4	5	6	7	8	9	10	11	12	**T**

26

Chi le capisce è bravo

Queste parole vengono dal gergo della malavita, da quello dei tossicodipendenti o dal più innocente linguaggio dei giovani. Che cosa significa...

1. ciulare?
2. cravattaro?
3. gaggio?
4. gasato?
5. gufare?
6. micco?
7. sballare?
8. sballo?
9. scrauso?
10. scuffia?
11. sniffare?
12. truzzo?

Soluzioni

1. Rubare, imbrogliare; avere rapporti sessuali.
2. Strozzino, usuraio.
3. Sciocco, sprovveduto.
4. Eccitato, esaltato.
5. Portare sfortuna, augurarsi il male di qualcuno.
6. Sciocco, stupido.
7. Essere sotto l'effetto di una droga; essere euforici, eccitati.
8. Effetto di una droga; situazione eccitante, esaltante.
9. Scadente, brutto, di poco valore.
10. Cotta, innamoramento; sbronza, ubriacatura.
11. Fiutare sostanze stupefacenti.
12. Giovane vestito male, dall'aspetto volgare.

Punteggio

1	2	3	4	5	6	7	8	9	10	11	12	T

27

Le parole dei nonni

Parole ed espressioni ormai passate di moda. Chi è in grado di spiegare il significato di...

1. baruffa?
2. bel tomo?
3. calepino?
4. carampana?
5. ciana?
6. finis?
7. galoppino?
8. gonzo?
9. pidocchietto?
10. pillacchera?
11. straccali?
12. zimarra?

Soluzioni

1. 'Litigio rumoroso.' All'origine del termine c'è forse il verbo longobardo *biroufan* (= 'contrastare').

2. 'Persona curiosa, dai comportamenti strani, bizzarri.' Qualcuno riconduce questa espressione al nome proprio *Tommaso*, secondo l'abitudine di collegare i comportamenti strani con i nomi di persone (com'è successo per *barbagianni*, *bastiano*, eccetera); altri pensano che all'origine ci sia la parola *tomo*, nel significato spagnolo di 'persona corpulenta'.

3. 'Grosso vocabolario'; 'librone'; 'taccuino'. Dal nome dell'autore del primo dizionario latino pubblicato nel 1502, l'umanista bergamasco Ambrogio da Calepio.

4. 'Donna non più giovane, brutta e un po' volgare.' Si tratta di una parola veneziana, da collegare con il rione delle Carampane o Casa Rampani, dove nel Quattrocento vivevano le prostitute, oppure con le parole veneziane *carampia* e *scarampia*, che significavano 'vecchia'.

5. 'Donna volgare e sguaiata.' La parola deriva da *Ciana*, abbreviazione di *Luciana*, nome della protagonista del melodramma settecentesco di Agostino Valle intitolato *Madama Ciana*, una donna ricca e ignorante.

6. Parola con cui nelle scuole di un tempo i bidelli annunciavano la conclusione delle lezioni. Si tratta della parola latina *finis* (= 'fine', 'termine').

7. 'Persona che corre per sbrigare servizi o commissioni per conto di altri'; 'tuttofare'. Questo termine deriva dal francese *galopin*, a sua volta derivato dal verbo *galoper* (= 'galoppare'); in origine, nelle canzoni di gesta, *Galopin* era il nome proprio di messi e fattorini.

8. 'Credulone', 'sempliciotto'; 'uno che crede a tutto'. Sull'ori-

gine di questa parola i pareri sono discordi: qualche studioso la spiega risalendo al latino *(vere)cundum* (= 'vergognoso'), ma è solo un'ipotesi.

9. 'Sala cinematografica o albergo poco puliti e di bassissimo livello.' La parola ha la sua origine nell'uso di *pidocchio* nel senso di 'miserabile'.

10. 'Schizzo di fango.' L'origine del termine è sconosciuta: qualcuno ha creduto di individuarla nella parola greca *pelos* (= 'fango').

11. 'Bretelle dei calzoni.' Si tratta di una parola di origine incerta: qualche studioso la spiega con il verbo *tirare*; altri con l'aggettivo longobardo *strak* (= 'teso').

12. 'Cappotto.' Il termine viene dalla parola spagnola *zamarra*, che a sua volta derivava dal basco *zamar* (= 'pellicciotto da pastore').

Punteggio

1	2	3	4	5	6	7	8	9	10	11	12	T

28

Parole nuove (o quasi)

Queste parole sono entrate nell'italiano al massimo da cinquant'anni. Che cosa significa...

1. bunga bunga?
2. casalinghitudine?
3. cinepanettone?
4. esodato?
5. fighettismo?
6. finger?
7. frappuccino?
8. inciucio?
9. ludopatia?
10. modaiolo?
11. peplum?
12. sversare?

Soluzioni

1. 'Rapporto sessuale', 'attività erotica'. L'espressione si è diffusa a partire dal 2009; probabilmente si tratta di una forma che imita approssimativamente e scherzosamente una lingua esotica vagamente africana, che rinvia a *Bingo Bongo*, titolo di un film del 1982, oppure al *Bongo bongo bongo* di una canzone portata al successo da Nilla Pizzi nel 1947 o, ancora, al *Bumba bumba* che compariva in un testo recitato da Claudio Bisio nel 1985.

2. 'Condizione di casalinga', soprattutto come limitazione a realizzarsi in altri ambiti (dal titolo del romanzo *Casalinghitudine* di Clara Sereni, pubblicato nel 1987).

3. 'Film leggero e comico che viene proiettato nei cinema durante le feste natalizie.' Il termine si è diffuso a partire dal 1998 ed è composto da *cine-* e *panettone*.

4. 'Chi, per l'improvviso innalzamento del limite di età necessario per il raggiungimento della pensione, avendo lasciato il lavoro in precedenza, è rimasto senza stipendio, senza cassa integrazione e senza pensione.' La parola deriva da *esodo*; già in uso dal 1989, è tornata di grande attualità nel 2012.

5. 'Comportamento di chi ostenta atteggiamenti sempre all'ultima moda.' La parola si è diffusa dal 1992; deriva da *fighetto* (= 'giovane alla moda, che tiene molto all'esteriorità').

6. 'Tunnel telescopico che negli aeroporti collega la porta dell'aerostazione direttamente al portellone dell'aereo' (si tratta di un termine inglese che significa 'dito', utilizzato anche in Italia fin dal 1998).

7. 'Frappè di latte e caffè con l'aggiunta di ghiaccio tritato, talvolta guarnito con uno spruzzo di cacao.' La parola si è dif-

fusa a partire dal 1988, ed è composta dall'unione di *frap(pè)* e *(cap)puccino.*

8. 'Accordo politico sottobanco, frutto di compromesso.' Il termine si è diffuso nel linguaggio giornalistico nel 1990; deriva dal napoletano *'nciucio* (= 'pettegolezzo maligno').

9. 'Disturbo del comportamento che consiste nell'ossessione compulsiva e incontrollabile per ogni tipo di gioco d'azzardo.' La parola si è diffusa recentissimamente ed è formata dall'unione di *ludo-* (= 'gioco') e *-patia* (= 'disturbo', 'affezione').

10. 'Chi segue le tendenze imposte dalla moda.' La parola si è diffusa dal 1971: deriva da *moda* con l'aggiunta finale di *-aiolo* (= 'che ha la tendenza a fare qualcosa').

11. 'Film di argomento mitologico o ambientato nell'antica Grecia o nell'antica Roma.' Il termine è entrato in circolazione nel 1980, per indicare i numerosi film di questo tipo prodotti nel secondo dopoguerra, con riferimento al *peplum*, l'abito indossato dalle donne nell'antica Grecia.

12. 'Scaricare abusivamente liquami nell'ambiente.' La parola ha cominciato a circolare dal 1973, ed è formata dal verbo *versare* più una *s* iniziale con valore peggiorativo.

Punteggio

1	2	3	4	5	6	7	8	9	10	11	12	**T**

29

Per modo di dire

Che cosa vuol dire...

1. Allevare una serpe in seno?
2. Avere voce in capitolo?
3. Bruciare le tappe?
4. Cogliere in flagrante?
5. Essere (o venire) ai ferri corti?
6. Essere al settimo cielo?
7. Fare la gattamorta, essere una gattamorta?
8. Fare l'indiano?
9. Non essere uno stinco di santo?
10. Rispondere per le rime?
11. Rompere il ghiaccio?
12. Tagliare la testa al toro?

Soluzioni

1. Vuol dire 'aiutare qualcuno che in seguito si mostrerà ingrato e farà del male al suo benefattore'. L'espressione trae origine dalla favola narrata da Esopo, Fedro e La Fontaine, che racconta di un contadino che riscaldò una serpe assiderata e poi ne fu morso.

2. Vuol dire 'contare', 'avere il credito e l'autorità per parlare ed essere ascoltati'. Il *capitolo* a cui l'espressione fa metaforicamente riferimento è un'adunanza di religiosi che discutono e decidono su qualcosa.

3. Vuol dire 'procedere rapidamente, superando senza indugi ostacoli e incertezze'. L'espressione nasce dal fatto che un tempo i postiglioni e i messi, se dovevano fare un servizio rapido, spesso saltavano le soste (le *tappe*) per il cambio dei cavalli.

4. Vuol dire 'cogliere sul fatto', 'sorprendere qualcuno nel momento in cui commette un reato'. Il modo di dire deriva dall'espressione latina *flagrante crimine* (= 'durante un'azione delittuosa ancora calda'). *Flagrante* (= 'ardente', 'infuocato') è il participio presente di *flagrare*, un verbo molto raro che significava 'ardere', 'bruciare'.

5. Vuol dire 'essere (o venire) a un contrasto molto aspro, vicino a un punto di rottura'. Il «ferro corto» è il pugnale: l'espressione trae origine da questa dura e risolutiva forma di combattimento.

6. Vuol dire 'essere al massimo della felicità'. Nell'antica concezione dell'universo (il sistema tolemaico), il settimo cielo era il più alto di tutti.

7. Vuol dire 'nascondere le proprie intenzioni', 'celare l'astuzia sotto una finta ingenuità', per raggiungere più facilmente il

proprio scopo. Un'antica favola aveva per protagonista una gatta che si fingeva morta per far avvicinare i topi e prenderli più facilmente.

8. Vuol dire 'fare finta di non sapere nulla'. Si dice così perché, al tempo della scoperta dell'America, agli europei conquistatori gli indiani sembrarono trasognati e assenti, anche in considerazione del fatto che i primi non riuscivano a capire una parola di quello che dicevano i secondi.

9. Vuol dire 'non essere una persona onesta e perbene', 'lasciare molti dubbi sulla propria rettitudine'. Si dice così perché nei reliquiari che raccolgono i frammenti dei corpi dei santi l'osso della tibia, cioè lo stinco, è il più vistoso di tutti.

10. Vuol dire 'rispondere a tono a un'accusa', senza ammettere nulla e anzi controbattendo alle critiche. L'espressione nasce dalle gare poetiche che si facevano nel Medioevo: un poeta componeva una poesia usando determinate rime, e il collega a cui l'aveva inviata scriveva una poesia di risposta usando le stesse rime, appunto *rispondendogli per le rime*.

11. Vuol dire 'vincere una difficoltà iniziale'; in particolare, nei rapporti umani significa 'superare la freddezza del primo momento di un incontro'. Forse l'espressione si rifà all'antica abitudine di far precedere un'imbarcazione da alcuni uomini che rompevano il ghiaccio di un fiume gelato.

12. Vuol dire 'risolvere una questione o un problema in modo netto, senza lasciare dubbi o incertezze in chicchessia'. L'espressione deriva con tutta probabilità dalla tauromachia.

Punteggio

1	2	3	4	5	6	7	8	9	10	11	12	**T**

30

Proverbi: se li conosci li usi

Che cosa si intende quando si dice…

1. Ambasciator non porta pena?
2. La farina del diavolo va tutta in crusca?
3. La via dell'inferno è lastricata di buone intenzioni?
4. La gatta frettolosa fece i gattini ciechi?
5. Una mano lava l'altra e tutt'e due lavano il viso?
6. Scherza con i fanti e lascia stare i santi?
7. A nemico che fugge ponti d'oro?
8. Campa, cavallo, che l'erba cresce?
9. La parola è d'argento ma il silenzio è d'oro?
10. La lingua batte dove il dente duole?
11. Non dire quattro se non l'hai nel sacco?
12. Non c'è pane senza pena?

Soluzioni

1. 'Chi porta notizie cattive per conto di altri non ne è responsabile, e non può essere punito.' Il proverbio ha la sua origine nell'immunità concessa agli ambasciatori nei tempi antichi.

2. 'Le ricchezze ottenute in modo disonesto prima o poi si perdono.' Come la farina buona che, se ottenuta con mezzi illeciti, su istigazione del diavolo, si trasforma in crusca, cioè nella parte di scarto della macinazione.

3. 'Le buone intenzioni e i buoni propositi devono tradursi in fatti concreti, altrimenti non servono a niente.' La via che porta all'inferno e alla perdizione, infatti, è rivestita di buone intenzioni mai messe in pratica.

4. 'Le persone che fanno le cose troppo in fretta ottengono risultati pessimi.' Come la gatta che, per avere voluto accelerare la nascita dei gattini, li mise al mondo ciechi.

5. 'Conviene a tutti darsi aiuto reciproco.' Come fanno le mani che, usate insieme, riescono a lavare bene il viso.

6. 'Le cose serie non devono essere prese alla leggera.' Il proverbio allude al fatto che non si possono mescolare le cose profane, cioè i fanti (= 'i servitori', o 'i bambini'), con quelle sacre, cioè i santi.

7. 'Se una persona nemica si allontana, conviene agevolargli la strada.' Il proverbio suggerisce di lastricare d'oro i ponti che il nemico dovrà attraversare.

8. 'Bisogna cercare di sopravvivere aspettando tempi migliori, anche se lontani.' Il proverbio nasce da un antico racconto, nel quale un uomo cercava di portare a casa un vecchio cavallo affamato che camminava a fatica in un campo arido, invitandolo a tirare avanti e a continuare a vivere, in attesa della crescita dell'erba.

9. 'Tacere al momento giusto è spesso più vantaggioso del parlare', così come l'oro, cioè il silenzio, è più prezioso dell'argento, cioè il parlare.

10. 'Il discorso torna sempre sull'argomento più scottante, più preoccupante.' Come la lingua, che torna continuamente a toccare un dente dolorante.

11. 'Non bisogna considerare certi e sicuri i fatti fino a quando non si sono realizzati.' Il proverbio invita a non nominare una somma fino a quando non la si è conquistata e messa nel portafoglio.

12. 'Il guadagno si conquista solo con la fatica.'

Punteggio

1	2	3	4	5	6	7	8	9	10	11	12	**T**

Livello avanzato

1

Dove va l'accento?

Si dice...

1. *acrìbia* o *acribìa?*
2. *àprico* o *aprìco?*
3. *codàrdia* o *codardìa?*
4. *dèpreco* o *deprèco?*
5. *dìssipo* o *dissìpo?*
6. *èdule* o *edùle?*
7. *elzèviro* o *elzevìro?*
8. *ìnane* o *inàne?*
9. *leccòrnia* o *leccornìa?*
10. *prosàpia* o *prosapìa?*
11. *tràlice* o *tralìce?*
12. *ùbbia* o *ubbìa?*

Soluzioni

1. **Acribìa** significa 'precisione meticolosa', e la precisione è d'obbligo per questa parola, che va pronunciata con l'accento sulla seconda *i*. Deriva dal greco *akríbeia* (= 'accuratezza'), a sua volta proveniente da *akribés*, un aggettivo che significava 'accurato'. Forse la parola non è arrivata nella lingua italiana direttamente dal greco, ma attraverso il tedesco *Akribìe*, e questo spiega lo spostamento dell'accento, che dalla prima *i* è andato a finire sulla seconda.

2. Anche **aprìco** (= 'aperto', 'esposto al sole') è una voce dotta, ripresa direttamente dal latino *aprìcum*, di cui conserva tutto, compresa l'accentazione sulla *i*.

3. Bisogna dire sempre e solo **codardìa**, con l'accento sulla *i*. La parola va pronunciata come gli altri sostantivi astratti che terminano in *-ia*: *allegrìa*, *follìa*, *ghiottonerìa*, eccetera. Una piccola curiosità: *codardìa* deriva da *codardo*, un adattamento italiano del francese antico *couard*, che a sua volta derivava da *cou* (= 'coda'): il *codardo*, quindi, era ed è ancora oggi 'chi tiene la coda bassa'.

4. La pronuncia giusta è **deprèco**. Le tre persone singolari del presente indicativo di *deprecare*, che significa 'disapprovare', 'biasimare con forza', hanno l'accento sulla *e*: *io deprèco*, *tu deprèchi*, *lui deprèca*. Questa pronuncia riprende quella originaria del latino, che era *deprècor*.

5. La pronuncia corretta è **dìssipo**. Le tre persone singolari e la terza plurale del presente indicativo di *dissipare* hanno l'accento sulla prima *i*: *io dìssipo*, *tu dìssipi*, *lui dìssipa*, *loro dìssipano*. Questa pronuncia riprende quella originaria del latino, che era *dìssipo*, *dìssipas*, *dìssipat*, *dìssipant*.

6. La pronuncia corretta è **edùle**, aggettivo che significa 'che

si può mangiare, commestibile'. L'accento, infatti, era sulla *u* anche in *edùlem*, la parola latina da cui questo aggettivo deriva, a sua volta proveniente dal verbo *èdere* (= 'mangiare').

7. L'*elzevìro*, che va pronunciato con l'accento sulla *i*, è l'articolo di fondo della pagina culturale di un giornale. Quanto al motivo del nome, si chiamava Elzevier una celebre famiglia di stampatori olandesi del Cinquecento e del Seicento, che pubblicarono edizioni stampate con caratteri latini; successivamente furono detti *elzevìri* i volumi di piccolo formato stampati come le edizioni della famiglia Elzevier. In tempi meno remoti il nome passò a indicare l'articolo di fondo, che fu chiamato *elzevìro* per il carattere tipografico in cui un tempo veniva stampato.

8. *Inàne* deriva dall'aggettivo latino *inànem*, che significava 'vuoto' e aveva l'accento sulla *a*, che è rimasto sulla stessa vocale anche nella parola italiana. Passando nella nostra lingua, il termine ha assunto il significato di 'inutile', 'privo di efficacia': *un tentativo inàne, sforzi inàni*, eccetera.

9. La pronuncia giusta di questa parola, che indica un 'cibo squisito', è *leccornìa*, con l'accento sulla *i*. *Leccornìa* è una forma abbreviata di *lecconerìa*, che a sua volta derivava da un antico *leccóne* (= 'ghiottone'). La pronuncia con l'accento sulla *o* si è diffusa per influsso di altre parole in *-ia* che non hanno l'accento sulla *i* finale, come *bòria, glòria, sbòrnia*, eccetera.

10. *Prosàpia*. L'accento deve cadere sulla *a*, perché la parola deriva dal latino *prosàpiam*, con accento originario sulla *a*. Il termine latino deriva, a sua volta, da una radice indoeuropea che voleva dire 'fecondare'. Questo senso è rimasto nella parola italiana, che infatti significa 'stirpe', 'schiatta'.

11. La parola *tralìce* si usa quasi esclusivamente nell'espressio-

ne *guardare in tralìce*, che significa 'guardare di sottecchi', 'di sbieco' o, con uso figurato, 'diffidare', 'sospettare': deriva dalla parola latina *trilìcem*, composta di *tres* (= 'tre') e *lìcium* (= 'filo'), che significava 'tessuto con triplice filo', poi 'tessuto per traverso'. Da questo significato si è passati a quello di 'sguardo di traverso'. Nella parola latina l'accento cadeva sulla *i*, e sulla stessa vocale deve continuare a cadere nella parola italiana.

12. Bisogna dire **ubbìa**, con l'accento sulla *i*. Questa parola, che significa 'pregiudizio superstizioso', ha un'etimologia poco chiara. Come molte altre parole italiane che terminano in -*ìa* (*allegrìa*, *follìa*, *ghiottonerìa*, eccetera), anche questa ha l'accento sull'ultima *i*.

Punteggio

1	2	3	4	5	6	7	8	9	10	11	12	T

2

Così o cosà?

Si scrive…

1. *aggiotaggio* o *aggiottaggio*?
2. *aneddotico* o *anedottico*?
3. *avallare* o *avvallare*?
4. *coefficiente* o *coefficente*?
5. *collutorio* o *colluttorio*?
6. *complementarietà* o *complementarità*?
7. *falcidia* o *falcidie*?
8. *inflativo* o *inflattivo*?
9. *ossequente* o *ossequiente*?
10. *par condicio* o *par conditio*?
11. *suppletivo* o *supplettivo*?
12. *transigere* o *transare*?

Soluzioni

1. L'***aggiotaggio*** è un reato: lo commette chi diffonde notizie false, esagerate o pilotate per far aumentare o diminuire i prezzi, così da poterci guadagnare. La parola viene dal francese *agiotage*. Data questa derivazione, come mai la pronuncia delle *g* nella parola italiana è intensa? Perché il francese *agiotage* deriva, a sua volta, dall'italiano *aggio* (= 'guadagno', 'maggior valore'): in *aggiotaggio*, la pronuncia intensa della *g* di *aggio* viene ripetuta due volte.

2. ***Aneddotico*** si dice di un testo che contiene uno o più aneddoti, o di un fatto che si presenta come un *aneddoto*, cioè un racconto poco noto o curioso legato alla vita di un personaggio e riportato in modo piacevole e divertente. Ovviamente, *aneddotico* deriva da *aneddoto*, che si scrive con due *d*.

3. Bisogna dire e scrivere ***avallare***, con una sola *v*. *Avallare* significa 'confermare', 'accreditare', 'garantire con un avallo'. Il verbo deriva proprio da *avallo*, termine che indica il sostegno, l'impegno di chi garantisce personalmente un debito altrui; *avallo*, a sua volta, è l'italianizzazione del francese *aval*, un'abbreviazione della forma *à valoir* (= 'da valere'): come si può notare, in tutti i casi la *v* è una sola.

4. ***Coefficiente*** viene dal francese *coefficient*. Il francese, a sua volta, ha ripreso il termine dal latino *coefficientem*. La grafia con la *i* è dunque originaria.

5. La forma corretta è la prima. ***Collutorio***, infatti, deriva da *collutus*, participio passato del verbo latino *colluere*, che significava 'sciacquare'.

6. Nonostante che molti dicano e scrivano *complementarietà*, la forma corretta è ***complementarità***. Come da *regolare* e da *elementare* derivano *regolarità* ed *elementarità* (non *regola-*

210

rietà ed *elementarietà*), così da *complementare* deriva *complementarità*, non *complementarietà*. La forma in *-ietà* è giusta, invece, nei nomi derivati dagli aggettivi in *-ario*: per esempio *vario* > *varietà*, *contrario* > *contrarietà*.

7. La forma corretta è **falcidia**, con la *a* finale. Oggi questa parola è usata con il significato di 'forte detrazione', 'eliminazione', e quindi anche 'strage', ma originariamente indicava la 'quarta parte dell'eredità' che l'erede poteva rivendicare nel caso in cui il defunto avesse destinato i suoi beni ad altre persone. L'antica legge romana che stabiliva questa consuetudine si chiamava *lex falcidia*, dal nome del tribuno della plebe *Falcidius* che l'aveva proposta. In seguito il termine, dato il significato legato all'idea del 'detrarre', 'eliminare', è stato erroneamente ricondotto alla parola *falce*, dalla quale ha preso la *-e* finale, che ovviamente è sbagliata.

8. **Inflativo**. Questo aggettivo, che significa 'relativo all'inflazione', va pronunciato e scritto con una sola *t*, perché deriva dalla parola inglese *inflative*. La forma *inflattivo*, con due *t*, si è diffusa per analogia con i numerosi aggettivi in *-ttivo* esistenti in italiano, anche questi derivati da nomi che finiscono in *-zione*: *attivo* da *azione*, *ricettivo* da *ricezione*, *adottivo* da *adozione*, eccetera.

9. La forma corretta è quella senza la *i*: **ossequente**. Chi dice *ossequiente* si rifà, consapevolmente o inconsapevolmente, alle parole *ossequio* e *ossequiare*, che hanno la *i*. Però bisogna ricordare che *ossequente* non deriva da queste forme, ma dalla voce latina *obsequentem*, che non aveva la *i*.

10. **Par condicio** è un'espressione latina che significa 'condizione pari', ed è usata a proposito della parità di condizioni che, per legge, deve essere assicurata a ogni partito o raggruppamento politico per quanto riguarda l'accesso ai mezzi di comuni-

cazione di massa in occasione di una campagna elettorale. Alcuni pronunciano la parola *condicio* come se fosse l'inglese *condition*, con il risultato grottesco che il latino si trasforma in inglese, e la *par condicio* tra le lingue va a farsi friggere.

11. **Suppletivo**, un aggettivo che vuol dire 'integrativo', 'supplementare', si scrive con una sola *t*, perché deriva da *suppletum*, una voce del verbo latino *supplere*, che voleva dire 'supplire'. La forma errata *supplettivo*, che pure s'incontra spesso, è dovuta all'influsso delle tante parole italiane che terminano in *-ttivo*, come *correttivo*, *elettivo*, *protettivo*, eccetera.

12. *Transare* non esiste: è stato erroneamente formato come derivato di *transazione*, sul modello di *operare/operazione*. La forma corretta è **transigere**, verbo che si usa non solo nella lingua del diritto, con il significato di 'terminare una controversia mediante un accordo', ma anche nella lingua comune, in cui vuol dire 'venire a un accomodamento', 'cedere su qualche punto'.

Punteggio

1	2	3	4	5	6	7	8	9	10	11	12	**T**

3

Sillabario

Dividete in sillabe:

1. aconflittuale
2. coadiutore
3. coassiale
4. cuoieria
5. formaldeide
6. fuoriuscire
7. gioielliere
8. ioide
9. liutaio
10. maieutica
11. pionieristico
12. reazionario

Soluzioni

1. a-con-flit-tu-a-le; 2. co-a-diu-to-re; 3. co-as-sia-le;
4. cuo-ie-ri-a; 5. for-mal-dei-de; 6. fuo-ri-u-sci-re;
7. gio-iel-lie-re; 8. ioi-de; 9. liu-ta-io; 10. ma-ieu-ti-ca;
11. pi-o-nie-ri-sti-co; 12. re-a-zio-na-rio.

Punteggio

1	2	3	4	5	6	7	8	9	10	11	12	T

4

Il ritorno dell'accento

Si dice...

1. *albàgia* o *albagìa?*
2. *àlea* o *alèa?*
3. *àrcade* o *arcàde?*
4. *Càorle* o *Caòrle?*
5. *càvea* o *cavèa?*
6. *dagherròtipo* o *dagherrotìpo?*
7. *Folgària* o *Folgarìa?*
8. *fotòlisi* o *fotolìsi?*
9. *Nicòtera* o *Nicotèra?*
10. *prèsago* o *presàgo?*
11. *Tànaro* o *Tanàro?*
12. *Venària* o *Venarìa?*

Soluzioni

1. La pronuncia corretta è **albagìa**. Non si conosce l'etimologia di questa parola, che significa 'boria', 'presunzione', 'alterigia'. Si suppone che derivi da *alba*, nel senso di 'vento dell'alba', e che sia da accostare al genovese *arbasgìa* (= 'brezza dell'alba'). In ogni caso, come molte parole che finiscono in *-ia*, deve essere pronunciata con l'accento sulla *i*.

2. **Àlea** (= 'rischio') è un latinismo: riprende tale e quale il latino *àleam* (= 'gioco di dadi', 'rischio') compreso l'accento sulla *a*.

3. La pronuncia corretta è **àrcade**. Questa parola indica non solo gli abitanti dell'antica Arcadia, ma anche i poeti seguaci della maniera arcadica e i membri dell'Accademia dell'Arcadia, tuttora esistente. Il termine viene dal greco *arkás*, ma è arrivato nella lingua italiana attraverso il latino *àrcadem*, di cui ha conservato l'accento.

4. La pronuncia corretta è **Càorle**. All'origine del nome di questa località balneare in provincia di Venezia c'è, curiosamente, la parola latina *Càprulae* (con accento sulla *a*), diminutivo di *caprae* (= 'caprette'). Perché il luogo sia stato chiamato così, non si sa: probabilmente perché nella zona c'era qualche elemento geografico la cui forma richiamava le corna di una capra; o forse perché sul posto c'erano delle capre.

5. Bisogna dire sempre e solo **càvea**, con l'accento sulla prima *a*. La parola, che indica, nei teatri antichi, 'l'area destinata al pubblico, con gradinate semicircolari', è un latinismo: riprende il latino *càveam*, con l'accento sulla *a*.

6. La pronuncia corretta è **dagherròtipo**. Nel 1837 il francese Louis Daguerre inventò un apparecchio e un procedimento fotografico per riprodurre le immagini su lastre metalliche. Per indicare sia l'apparecchio sia la lastra e sia l'immagine,

Daguerre coniò il termine *daguerréotype*, che in italiano diventò *dagherròtipo*.

7. Il nome di questo paese in provincia di Trento, che va pronunciato **Folgarìa**, è la trasformazione del latino parlato *filicareta* (= 'felceta'), terreno ricco di felci.

8. Bisogna dire **fotòlisi**, con l'accento sulla *o*. La parola, che significa 'decomposizione di un composto chimico per azione della luce', è stata creata unendo due parole di origine greca: *photós* (= 'luce') e *lúsis* (= 'scioglimento').

9. **Nicòtera**. Il nome di questa località in provincia di Vibo Valentia (in dialetto calabrese *Nicòtra*) deriva dal nome di persona di formazione greca *Nikóteras*, con accento sulla *o*. Dalla stessa base greca deriva anche il cognome siciliano Nicòtra.

10. **Presàgo** significa 'che presagisce gli avvenimenti futuri'. Non sempre, però, si indovina l'accento di questo aggettivo. Per metterlo sulla vocale giusta occorre ricordare che la parola viene dal latino *praesàgum*, e che nel passaggio all'italiano ha mantenuto l'accento sulla *a*.

11. **Tànaro**. L'accento cade sulla prima *a* fin dai tempi di Plinio il Giovane (I-II secolo d.C.), che nella sua *Naturalis Historia* chiama questo affluente del Po *Tànarum*.

12. Il comune di **Venarìa** *Reale*, in provincia di Torino, deve il suo nome ai Savoia. Nel Seicento, quando acquisirono il luogo, i Savoia lo trasformarono in una riserva di caccia e lo chiamarono Venarìa, aggiungendo artificiosamente al verbo latino *venari* (= 'cacciare') il suffisso -*arìa*, con l'accento sulla *i*.

Punteggio

1	2	3	4	5	6	7	8	9	10	11	12	T

5

Articolazioni

Si dice…

1. *i* pneumococchi o *gli* pneumococchi?
2. *il* ptialismo o *lo* ptialismo?
3. *un* pterigio o *uno* pterigio?
4. *il* mnemonismo o *lo* mnemonismo?
5. *il* cladodio o *lo* cladodio?
6. *il* ctenidio o *lo* ctenidio?
7. *un* flavonoide o *uno* flavonoide?
8. *il* pneumatico o *lo* pneumatico?
9. *i* ctenofori o *gli* ctenofori?
10. *il* ctenodattilo o *lo* ctenodattilo?
11. *il* ftalato o *lo* ftalato?
12. *un* flambaggio o *uno* flambaggio?

Soluzioni

1. *gli* pneumococchi; 2. *lo* ptialismo; 3. *uno* pterigio;
4. *lo* mnemonismo; 5. *il* cladodio; 6. *lo* ctenidio;
7. *un* flavonoide; 8. *lo* pneumatico; 9. *gli* ctenofori;
10. *lo* ctenodattilo; 11. *lo* ftalato; 12. *un* flambaggio.

Ecco la regola:

Davanti ai nomi che iniziano per gruppi di due consonanti che non abbiano *l* o *r* come secondo elemento, l'articolo determinativo maschile è sempre *lo/gli* e l'articolo indeterminativo maschile è sempre *uno*. Perciò, tutte le parole della lista hanno come articoli *lo*, *gli* o *uno*; tranne *cladodio*, *flavonoide* e *flambaggio*, che cominciano con un gruppo di due consonanti, la seconda delle quali è *l*.

Punteggio

1	2	3	4	5	6	7	8	9	10	11	12	T

6

Viva la differenza

Che differenza c'è fra...

1. *un arco e un'arca?*
2. *un bando e una banda?*
3. *un branco e una branca?*
4. *un comico e una comica?*
5. *un fine e una fine?*
6. *un lancio e una lancia?*
7. *il limo e la lima?*
8. *un maglio e una maglia?*
9. *un masso e una massa?*
10. *un pianeta e una pianeta?*
11. *un tempio e una tempia?*
12. *un visto e una vista?*

Per conquistare il punto è sufficiente indicare un significato per ciascuna delle due parole.

Soluzioni

1. L'*arco* è prima di tutto l'arma fatta con una bacchetta flessibile e una corda con cui si scagliano le frecce, e poi, per estensione, tutto ciò che richiami la sua forma: *l'arco delle sopracciglia, del violino, della finestra, del cielo*, e anche l'*arco di tempo*, inteso come periodo. Attualmente, la parola *arca* indica una tomba monumentale; anticamente indicava una cassa destinata a contenere oggetti vari. Famosi, nella Bibbia, l'*Arca dell'Alleanza*, che conteneva le tavole della Legge, e l'imbarcazione detta *Arca di Noè*.

2. Il *bando* è l'ordine o la comunicazione di un'autorità, un tempo annunciata da un banditore e oggi comunicata tramite affissione o comunicazione (*bando di arruolamento, di concorso*). La *banda* può essere, a seconda dei casi, un gruppo organizzato di suonatori di strumenti (*banda militare, municipale*) o anche di malviventi (*una banda di ladri, di rapinatori, banda armata*), una striscia colorata (*una tenda a bande bianche e rosse*), una serie di onde elettromagnetiche (*bande di frequenza*).

3. Il *branco* è un gruppo di animali della stessa specie (*un branco di lupi, di pecore*); in senso figurato, è un gruppo di giovani violenti (*vittima del branco*). La *branca* è un settore specifico di una scienza o attività (*una branca della medicina*). Questo significato è un'estensione figurata di quello originario, in base al quale la *branca* è ciascuna delle due parti di vari arnesi che servono ad afferrare: *le branche delle tenaglie, di una pinza, del compasso*.

4. Un *comico* è un attore specializzato in parti comiche. Una *comica* è un breve film di carattere comico, tipico dei tempi del cinema muto (*le comiche di Charlot*).

5. Il *fine* è il risultato, la conclusione di qualcosa (*un'avventura a lieto fine*), o anche un proposito, uno scopo (*il fine giustifica i mezzi*). La *fine* è il punto o il momento in cui qualcuno o qualcosa cessa di essere (*la fine del romanzo, della strada, della vita*).

6. Un *lancio* è il tiro di qualcosa (*il lancio di un sasso, di una bomba*) o l'atto del lanciarsi (*un lancio dal trampolino, dall'aereo*); è anche una campagna pubblicitaria (*il lancio di un nuovo prodotto*); una trasmissione di notizie (*un lancio d'agenzia*); nell'atletica leggera è una prova che consiste nel lanciare un attrezzo il più lontano possibile (*lancio del disco, del giavellotto*). La *lancia* è un'arma costituita da un'asta con una punta (*un cavaliere armato di lancia*) o anche un'imbarcazione (*lancia di salvataggio*).

7. Il *limo* è il fango; la *lima* è uno strumento che serve per lisciare o sagomare il legno, il ferro o altri materiali.

8. Il *maglio* è un grosso martello di legno a due teste, oppure una mazza di ferro con un lungo manico usata dai fabbri; può essere anche una macchina con una mazza che permette di deformare blocchi metallici, o un martello con l'asta molto lunga usato per il gioco rinascimentale della *pallamaglio*. La *maglia* è un intreccio di fili di lana, cotone o altro fatto con i ferri o con l'uncinetto o a macchina, oppure è l'elemento di una rete. È anche l'indumento di lana o cotone o l'armatura difensiva dei cavalieri medievali.

9. Il *masso* è un sasso o una roccia di grandi dimensioni; la *massa* è una quantità (*una massa d'acqua*), un mucchio (*una massa di attrezzi, di rottami*), una moltitudine (*una massa di dimostranti*).

10. Il *pianeta* è un corpo celeste (*il pianeta Terra*). La *pianeta* è un indumento usato dai sacerdoti durante le funzioni religiose.

11. Il *tempio* è un edificio destinato al culto religioso; la *tempia* è la parte della testa che si trova fra l'occhio e l'orecchio (*mi fanno male le tempie*).

12. Il *visto* è la sigla con cui si attesta di avere letto e approvato un documento (*apporre il visto*), ed è anche quello con cui uno Stato consente a uno straniero titolare di un passaporto l'ingresso nel o l'uscita dal proprio territorio (*visto d'entrata, d'uscita*). La *vista* è il senso che permette di vedere; in senso figurato, è un panorama (*da qui si gode una bella vista*).

Punteggio

1	2	3	4	5	6	7	8	9	10	11	12	**T**

7

Plurali complicati

Qual è il plurale di…

1. il capobanda?
2. il capogruppo?
3. il capotreno?
4. il caporione?
5. il capodanno?
6. il capogiro?
7. il capoluogo?
8. il capostipite?
9. la capolista?
10. la caporedazione?
11. la capotreno?
12. la capogruppo?

Soluzioni

1. i capibanda; 2. i capigruppo; 3. i capitreno; 4. i caporioni;
5. i capodanni; 6. i capogiri; 7. i capoluoghi; 8. i capostipiti;
9. le capolista; 10. le caporedazione; 11. le capotreno;
12. le capogruppo.

Le regole per la formazione del plurale sono le seguenti:

Risposte 1, 2, 3, 4: nei nomi composti con la parola *capo-*, se questa significa 'colui che è a capo di qualcosa', 'chi presiede a un lavoro', il plurale si forma modificando la desinenza del nome *capo*. *Caporioni* è un'eccezione a questa regola.
Risposte 5, 6, 7, 8: se la parola *capo-* indica 'posizione di preminenza o di inizio di qualcosa', il plurale si forma modificando solo la desinenza del secondo elemento.
Risposte 9, 10, 11 e 12: se il composto è di genere femminile e il nome *capo-* si riferisce a una donna che è a capo di qualcosa, il plurale è invariabile.

Punteggio

1	2	3	4	5	6	7	8	9	10	11	12	**T**

8

Aggettivamente

Che cosa significa…

1. avulso?
2. caduco?
3. criptico?
4. cursorio?
5. inclito?
6. interlocutorio?
7. mendace?
8. onusto?
9. peregrino?
10. scevro?
11. taumaturgico?
12. tumido?

Soluzioni

1. *Avulso* vuol dire 'staccato', 'isolato'. È usato come aggettivo, ma sul piano grammaticale è il participio passato di *avellere*, latinismo che significa 'strappare da'.

2. *Caduco* significa 'destinato a cadere presto', 'effimero', 'di breve durata'. Proviene dall'aggettivo latino *caducum*, a sua volta derivato da *cadere* (= 'cadere').

3. *Criptico* vuol dire 'misterioso', 'oscuro'. Nella sua origine più remota, la parola viene dall'aggettivo greco *kryptikos*, derivato del verbo *kryptein* (= 'nascondere').

4. *Cursorio* vuol dire 'che viene fatto di corsa, in fretta'. Viene dall'aggettivo del latino tardo *cursorium*, che voleva dire 'da corsa'.

5. *Inclito* significa 'nobile', 'illustre', 'glorioso'. Alla base di questa parola c'è il verbo latino *cluere*, che significava 'avere fama'.

6. *Interlocutorio* significa 'che serve a tenere aperto il dialogo', 'non definitivo, ma suscettibile di cambiamenti e sviluppi'. Viene dal latino medievale *interlocutorium*, derivato del verbo *interloqui* (= 'dialogare').

7. *Mendace* è qualcuno 'che dice menzogne' o qualcosa 'che contiene menzogne'. Alla sua base c'è l'aggettivo latino *mendacem*, a sua volta derivato da *menda* (= 'errore').

8. *Onusto* significa 'carico'. Viene dall'aggettivo latino *onustu(m)*, a sua volta derivato da *onus* (= 'peso', 'carico').

9. *Peregrino* ha due significati fondamentali: 'originale', 'stravagante' e 'raro', 'prezioso'. Deriva dal latino *peregrinum*, che significava 'straniero'.

10. *Scevro* significa 'privo'. È un derivato di *sceverare* o *scevrare*, verbo di uso letterario che significava 'separare'.

11. *Taumaturgico* vuol dire 'dotato di un potere miracoloso'. Alle origini di questo aggettivo c'è il sostantivo greco *thauma-tourgos*, composto dal nome *thauma* (= 'miracolo') e dal verbo *erghein* (= 'fare'): il taumaturgo, infatti, è 'chi fa miracoli'.

12. *Tumido* significa 'turgido', 'carnoso', o anche 'gonfio'. Viene dall'aggettivo latino *tumidum*, un derivato del verbo *tumere* (= 'essere gonfio').

Punteggio

1	2	3	4	5	6	7	8	9	10	11	12	**T**

9

Comparativi e superlativi

Che cosa significa…

1. anteriore?
2. esteriore?
3. inferiore?
4. interiore?
5. superiore?
6. ulteriore?
7. citeriore?
8. poziore?
9. recenziore?
10. viciniore?
11. a fortiori?
12. a posteriori?

Soluzioni

1. che precede; 2. che è o appare fuori; 3. che sta sotto, più in basso; 4. che è dentro o più dentro; 5. che sta sopra, più in alto; 6. che segue, che è più oltre; 7. che è più vicino, che è al di qua rispetto a un determinato punto di riferimento; 8. prevalente; 9. più recente; 10. più vicino; 11. tanto più, a maggior ragione; 12. successivamente.

Ecco la spiegazione:

Le prime dieci forme derivano da altrettanti aggettivi latini al grado comparativo, tutti uscenti in *-iorem*, con caduta della *m* finale nel passaggio dal latino all'italiano: *anteriore(m)*, *exteriore(m)*, da cui *esteriore*, *inferiore(m)*, *interiore(m)*, *superiore(m)*, *ulteriore(m)*, *citeriore(m)*, *potiore(m)*, da cui *poziore*, *recentiore(m)*, *viciniore(m)*; *a fortiori* e *a posteriori* sono espressioni latine passate intatte in italiano: la prima significava 'a più forte ragione', la seconda 'da ciò che è dopo'.

Punteggio

1	2	3	4	5	6	7	8	9	10	11	12	**T**

10

Professione: verbo
Stato civile: coniugato

Qual è la prima persona singolare dell'imperfetto indicativo di...

1. addurre?
2. anteporre?
3. assuefare?
4. deporre?
5. detrarre?
6. disdire?
7. liquefare?
8. maledire?
9. posporre?
10. predire?
11. stupefare?
12. tradurre?

Soluzioni

1. adducevo; 2. anteponevo; 3. assuefacevo; 4. deponevo;
5. detraevo; 6. disdicevo; 7. liquefacevo; 8. maledicevo;
9. posponevo; 10. predicevo; 11. stupefacevo; 12. traducevo.

Punteggio

1	2	3	4	5	6	7	8	9	10	11	12	**T**

11

Scusi, ha visto passare
un participio?

Qual è il participio passato di...

1. accedere?
2. aspergere?
3. delinquere?
4. divellere?
5. discernere?
6. escutere?
7. esigere?
8. esimere?
9. fungere?
10. negligere?
11. rifulgere?
12. spandere?

Soluzioni

1. acceduto; 2. asperso; 3. delinquito; 4. divelto; 5. (non esiste); 6. escusso; 7. esatto; 8. (non esiste); 9. funto; 10. negletto; 11. rifulso; 12. spanto.

Punteggio

1	2	3	4	5	6	7	8	9	10	11	12	**T**

12

Un tuffo nel passato (remoto)

Qual è il passato remoto di...

1. devolvere?
2. eccellere?
3. escutere?
4. esigere?
5. espellere?
6. ledere?
7. nuocere?
8. prefiggere?
9. rifondere?
10. scadere?
11. stupefare?
12. tacere?

Coniugate tutte le persone.

Soluzioni

1. devolsi, devolvesti, devolse, devolvemmo, devolveste, devolsero.
2. eccelsi, eccellesti, eccelse, eccellemmo, eccelleste, eccelsero.
3. escussi, escutesti, escussi, escutemmo, escuteste, escussero.
4. esigetti, esigesti, esigette, esigemmo, esigeste, esigettero.
5. espulsi, espellesti, espulse, espellemmo, espelleste, espulsero.
6. lesi, ledesti, lese, ledemmo, ledeste, lesero.
7. nocqui, nuocesti (o nocesti), nocque, nuocemmo (o nocemmo), nuoceste (o noceste), nocquero.
8. prefissi, prefiggesti, prefisse, prefiggemmo, prefiggeste, prefissero.
9. rifusi, rifondesti, rifuse, rifondemmo, rifondeste, rifusero.
10. scaddi, scadesti, scadde, scademmo, scadeste, scaddero.
11. stupefeci, stupefacesti, stupefece, stupefacemmo, stupefaceste, stupefecero.
12. tacqui, tacesti, tacque, tacemmo, taceste, tacquero.

Punteggio

1	2	3	4	5	6	7	8	9	10	11	12	T

13

Ma mi facci il piacere!

Qual è il congiuntivo imperfetto di...

1. anteporre?
2. benedire?
3. contrarre?
4. disfare?
5. dedurre
6. maledire?
7. premettere?
8. protrarre?
9. ridire?
10. stare?
11. supporre?
12. trarre?

Coniugate solo la prima persona.

Soluzioni

1. anteponessi; 2. benedicessi; 3. contraessi; 4. disfacessi;
5. deducessi; 6. maledicessi; 7. premettessi; 8. protraessi;
9. ridicessi; 10. stessi; 11. supponessi; 12. traessi.

Punteggio

1	2	3	4	5	6	7	8	9	10	11	12	T

14

Grammaticherie

1. Bisogna dire e scrivere *verrà a trovarti Paolo o Gianni* oppure *verranno a trovarti Paolo o Gianni*?

2. Bisogna dire e scrivere *adire le vie legali* o *adire alle vie legali*?

3. Bisogna dire e scrivere *afferire un ufficio* o *afferire a un ufficio*?

4. Bisogna dire e scrivere *attinente a qualcosa* o *attinente qualcosa*?

5. Bisogna dire e scrivere *inerente a qualcosa* o *inerente qualcosa*?

6. Bisogna dire e scrivere *derogare a* o *derogare da*?

7. L'espressione *a meno che* richiede...
   a) sempre l'indicativo;
   b) a volte l'indicativo e a volte il congiuntivo;
   c) sempre il congiuntivo.

8. Che cosa vuol dire la sigla RSVP?

9. La parola *anzitempo* può essere scritta solo unita o anche separata nelle due componenti: *anzi tempo*?

10. «Tanto va la *gatta* al lardo che ci lascia lo zampino»,

«Avere una *gatta* da pelare», «Essere una (o fare la) *gatta* morta»: perché i proverbi e i modi di dire parlano sempre della *gatta* e mai del *gatto*?

11. La parola *se* è un avverbio, una preposizione, un'interiezione o una congiunzione?

12. La parola *già* è un avverbio, una preposizione, un'interiezione o una congiunzione?

Soluzioni

1. L'unica forma corretta è *verrà a trovarti Paolo o Gianni.* Quando ci sono due soggetti singolari collegati dalla congiunzione *o* il verbo va al singolare, perché quella *o* esprime un'alternativa che esclude automaticamente uno dei due soggetti. È come se dividessimo la frase in due: *verrà a trovarti Paolo, oppure verrà a trovarti Gianni.*

2. Il verbo *adire* si usa raramente, e solo quando ci si riferisce a questioni legali, in espressioni in cui significa 'ricorrere a', 'dar corso a'. Abbiamo ereditato questo verbo dal latino *adire*, che era composto di *ad* (= 'verso') e *ire* (= 'andare'): in italiano, come in latino, il verbo è transitivo, e va collegato direttamente al complemento oggetto, senza la preposizione *a*: *adire le vie legali*, dunque, e non *adire alle vie legali*; *adire l'autorità giudiziaria*, e non *adire all'autorità giudiziaria.*

3. *Afferire* è un verbo usato nel linguaggio giuridico e burocratico con il significato di 'riguardare', 'concernere', 'appartenere'. Bisogna costruirlo con la preposizione *a*: *afferire all'ufficio contratti.*

4. *Attinente* (parola del linguaggio burocratico che vuol dire 'relativo', 'che riguarda', 'che concerne') è il participio presente del verbo *attenere*, che è intransitivo e richiede la preposizione *a*: *le questioni attinenti alla legge delega*, non *le questioni attinenti la legge delega*. La tendenza a eliminare la *a* dopo *attinente* è dovuta, con tutta probabilità, al modello di altri participi tipici del linguaggio burocratico che, legittimamente, non reggono la preposizione *a*, come *facente, ledente, implicante*: *funzionario facente funzione, norme ledenti gli interessi, decreto implicante le norme*, eccetera.

5. *Inerente* (parola del linguaggio burocratico che vuol dire 'che

appartiene', 'che riguarda') è il participio presente del verbo *inerire*, che è intransitivo e richiede la preposizione *a*: *gli obblighi inerenti al decreto*, non *gli obblighi inerenti il decreto*. Come nel caso di *attinente*, la tendenza a eliminare la *a* dopo *inerente* è dovuta, con tutta probabilità, al modello di altri participi tipici del linguaggio burocratico.

6. Il verbo *derogare* significa 'non osservare quanto è stato stabilito da un accordo o da una disposizione', 'fare un'eccezione', e richiede la costruzione con la preposizione *a*: *derogare a una norma, all'etichetta, ai propri principi*.

7. L'espressione *a meno che* richiede sempre il congiuntivo: *Lo farò, a meno che qualcuno non me lo impedisca*.

8. *Répondez s'il vous plaît*. Si tratta di una formula del francese, da sempre lingua delle buone maniere, che significa 'si prega di rispondere'. Si trova nei biglietti d'invito a una qualsiasi cerimonia o presentazione, e impegna il destinatario a confermare o a negare la sua partecipazione.

9. Può essere scritta anche in forma separata: *anzi tempo*.

10. Perché nell'italiano antico, per indicare il gatto, si usava prevalentemente il femminile *la gatta*.

11. È una congiunzione.

12. È un avverbio.

Punteggio

1	2	3	4	5	6	7	8	9	10	11	12	T

15

Ipse dixit

Correggete le bestialità dette o scritte da questi personaggi pubblici:

1. «Bisogna accellerare al massimo l'iter di questo documento.» (Lilli Garrone, «Corriere della Sera»)
2. «Ma il Ceo, qualifica che nella nomenclatura aziendale americana equivale grosso modo a quella di amministratore delegato di una società italiana, non è onnisciente, né infallibile.» (Umberto Venturini, «Corriere della Sera»)
3. «Se l'opposizione capisce questo, credo che è un passaggio positivo per l'Italia.» (Giulio Tremonti)
4. «Mentre Umberto parlava, benedivo il momento in cui decisi di unire i nostri due popoli, Forza Italia e Lega.» (Silvio Berlusconi)
5. «I rari coetanei che frequenta un po' più intimamente sono della stessa pasta: Paul Deussen, anch'egli figlio di un pastore protestante e anche lui 'primo della classe', un tipo grigio, di intelligenza

non brillantissima, noioso, verso il quale Nietzsche avrà sempre un atteggiamento, per lui inconsueto, di sufficenza e di insofferenza anche se non avrà mai il coraggio di liberarsene, e il giovane barone Carl von Gersdorff cui lo legano gli interessi spirituali e il fascino della aristocrazia da cui Nietzsche non è immune.» (Massimo Fini)

6. «Credo che c'è bisogno di tutti.» (Daniela Santanchè)
7. «Si stanno liquefando in questa diarrea politica.» (Beppe Grillo)
8. «Quella sera che maledimmo Bossi.» (Gianluca Nicoletti, «La Stampa»)
9. «Vorrei che ne parliamo.» (Francesco D'Onofrio)
10. «Coefficente per la rivalutazione del trattamento di fine rapporto.» (Centro Studi Confindustria)
11. «Mi auspico, comunque, che siano in molti a farsi avanti adesso.» (Daniela Santanchè)
12. «Se io la chiamerei signore, lei che cosa penserebbe?» (Andrea De Martino, prefetto di Napoli)

Soluzioni

1. «Bisogna *accelerare* al massimo l'iter di questo documento.»
2. «Ma il Ceo, qualifica che nella nomenclatura aziendale americana equivale grosso modo a quella di amministratore delegato di una società italiana, non è *onnisciente*, né infallibile.»
3. «Se l'opposizione capisce questo, credo che *sia* un passaggio positivo per l'Italia.»
4. «Mentre Umberto parlava, *benedicevo* il momento in cui decisi di unire i nostri due popoli, Forza Italia e Lega.»
5. «I rari coetanei che frequenta un po' più intimamente sono della stessa pasta: Paul Deussen, anch'egli figlio di un pastore protestante e anche lui «primo della classe», un tipo grigio, di intelligenza non brillantissima, noioso, verso il quale Nietzsche avrà sempre un atteggiamento, per lui inconsueto, di *sufficienza* e di insofferenza anche se non avrà mai il coraggio di liberarsene, e il giovane barone Carl von Gersdorff cui lo legano gli interessi spirituali e il fascino della aristocrazia da cui Nietzsche non è immune.»
6. «Credo che *ci sia* bisogno di tutti.»
7. «Si stanno *liquefacendo* in questa diarrea politica.»
8. «Quella sera che *maledicemmo* Bossi.»
9. «Vorrei che ne *parlassimo*.»
10. «*Coefficiente* per la rivalutazione del trattamento di fine rapporto.»
11. «*Auspico*, comunque, che siano in molti a farsi avanti adesso.»
12. «Se io la *chiamassi* signore, lei che cosa penserebbe?»

Punteggio

1	2	3	4	5	6	7	8	9	10	11	12	T

16

Siamo tutti lessicografi

Definite queste parole:

1. acrimonia
2. coacervo
3. esiziale
4. fagocitare
5. faunesco
6. fomentare
7. gipsoteca
8. labronico
9. onta
10. pedissequo
11. prodromo
12. sicumera

Soluzioni

1. 'Asprezza', 'livore', 'acredine'. La parola *acrimonia* deriva dal latino *acrimoniam*, alla cui origine troviamo l'aggettivo *acrem* (= 'acuto').

2. 'Accozzaglia', 'cumulo', 'mucchio disordinato'. *Coacervo* deriva dal verbo latino *coacervare*, che significava 'accumulare'.

3. 'Che provoca un danno gravissimo', 'dannoso'; 'funesto'. L'aggettivo *esiziale* deriva dal latino *exitialem*, che a sua volta aveva origine nella parola *exitium*, che significava 'fine', 'rovina'.

4. 'Assorbire', 'incorporare'; 'accaparrarsi'. Il verbo *fagocitare* deriva dalla parola *fagocita*, che in biologia indica una cellula capace di inglobare al suo interno microrganismi e altri elementi estranei.

5. 'Di aspetto animalesco, che ricorda Fauno' (un'antica divinità rappresentata con corna di montone e corpo di capra dalla vita in su, oppure in forma umana con lunghe orecchie appuntite e coda attorcigliata).

6. 'Istigare', 'eccitare', 'suscitare'. Il verbo *fomentare* deriva dalla parola *fomentum*, che in latino significava 'fomento', 'medicamento caldo e umido che si applica sulla parte malata per mitigare il dolore' (dal significato di 'infondere calore' si è passati a quello figurato di 'eccitare').

7. Raccolta di statue e bassorilievi in gesso; il luogo (museo o altro) in cui si conservano e si mostrano al pubblico i calchi in gesso. *Gipsoteca* è data dall'unione di due parole greche: *ghypsos* (= 'gesso') e *theke* (= 'custodia', 'ripostiglio').

8. 'Livornese'. *Labronico* è il nome latino (di origine etrusca) della località *Labro* (genitivo *Labronis*): in una lettera di Ci-

cerone questo nome indicava un porto della costa tirrenica identificato con quello dell'attuale città di Livorno.

9. 'Vergogna', 'disonore', 'infamia'. La parola *onta* deriva dall'antico francese *honte*, che significava appunto 'disonore'.

10. Chi imita passivamente qualcuno o qualcosa senza nessuna originalità. Questo aggettivo deriva dal latino *pedisequum*, che significava 'servo che accompagna a piedi il padrone', parola composta da *pes, pedis* (= 'piede') e *sequi* (= 'seguire').

11. 'Indizio', 'segno', 'fatto che precede e preannuncia qualcosa'. La parola *prodromo* deriva dal latino *prodromum*, che significava 'messaggio', a sua volta derivata dal greco *prodromos*, che significava 'che corre avanti', 'precursore', ed era composta da *pro* (= 'avanti') e *dromos* (= 'corsa').

12. 'Ostentazione di grande sicurezza di sé', 'presunzione'. Sull'origine della parola *sicumera* non abbiamo certezze: per qualche studioso deriva dall'aggettivo *sicuro*, per altri sarebbe una derivazione scherzosa di una frase presente nella preghiera latina del *Gloria Patri* (= 'Gloria al Padre'): «*Sicut erat*».

Punteggio

1	2	3	4	5	6	7	8	9	10	11	12	T

17

Il vocabolario rovesciato

Quale parola corrisponde alle seguenti definizioni?

1. Piccola tumefazione dura, benigna, nello spessore della palpebra.
   a) calazio b) orzaiolo c) cheratocono
2. Studio delle parole derivanti dai nomi dei luoghi.
   a) topografia b) nomenclatura
   c) toponomastica
3. Diritto a godere per almeno vent'anni di un fondo altrui.
   a) locupletazione b) enfiteusi c) usucapione
4. Somministrare sostanze stupefacenti a un atleta per migliorarne il rendimento.
   a) adulterare b) manipolare c) dopare
5. Ciascuna delle punte di una forchetta.
   a) rebbio b) spuntone c) dente
6. Sacerdote etrusco o romano che prediceva il futuro esaminando le viscere delle vittime.
   a) indovino b) astrologo c) aruspice

7. Anello di ferro o altro arnese infisso sulle porte per bussare o per ornamento.

    a) battente b) batacchio c) pomello

8. Rappresentazione grafica dell'andamento di un fenomeno o di una funzione.

    a) diagramma b) paradigma c) prospetto

9. Autotreno a due piani per il trasporto di autoveicoli.

    a) bisonte b) bisarca c) betoniera

10. Sezione di una biblioteca dedicata alla raccolta di giornali e periodici.

    a) messaggeria b) emerografia c) emeroteca

11. Parte interna della noce, morbida e commestibile.

    a) mallo b) gheriglio c) polpa

12. Pilastro leggermente sporgente da un muro, con funzione ornamentale.

    a) astragalo b) pulvino c) lesena

Soluzioni

1. a; 2. c; 3. b; 4. c; 5. a; 6. c; 7. a; 8. a; 9. b; 10. c; 11. b; 12. c.

Punteggio

1	2	3	4	5	6	7	8	9	10	11	12	T

18

L'intruso

Quale delle quattro parole non è un sinonimo delle altre?

1. a) impulsivo b) emotivo c) irriflessivo d) distintivo
2. a) ambiguità b) dissimilazione c) impostura
   d) doppiezza
3. a) irrecuperabile b) irragionevole c) dissennato
   d) irriflessivo
4. a) giunzione b) manicotto c) accordo d) innesto
5. a) speculazione b) lottizzazione c) suddivisione
   d) spezzettamento
6. a) forastico b) foriero c) selvatico d) misantropo
7. a) scurrile b) deleterio c) sconcio d) triviale
8. a) parapiglia b) gazzarra c) baraonda
   d) competizione
9. a) pedissequo b) premuroso c) sollecito d) attento
10. a) rudimentale b) elementare c) basilare d) esiziale
11. a) recondito b) impenetrabile c) segreto
    d) fuorviante
12. a) volubile b) incostante c) volatile d) instabile

Soluzioni

1. d. **Distintivo** rinvia al *distinguere*; *impulsivo, emotivo* e *irriflessivo* rinviano all'istinto.

2. b. In fonetica la **dissimilazione** è il processo per cui due suoni identici o simili, trovandosi vicini, tendono a differenziarsi. Le altre tre parole (*ambiguità, impostura, doppiezza*) rinviano invece al significato comune di 'inganno', 'imbroglio'.

3. a. **Irrecuperabile** vuol dire 'che non si può recuperare'; *irragionevole, dissennato, irriflessivo* significano 'che non vuole ragionare'.

4. c. **Accordo**, che significa 'armonia di volontà o sentimenti', 'intesa', è l'unica parola non legata all'azione del collegare.

5. a. Delle quattro parole, **speculazione** è l'unica non legata all'azione del dividere.

6. b. **Foriero**, che significa 'che precede', 'che viene prima e annuncia', mentre le altre tre parole rinviano al significato comune di 'persona scontrosa, scorbutica, poco socievole'.

7. b. **Deleterio**, che significa 'che porta un grave danno', non ha niente a che fare con gli altri tre aggettivi, i quali rinviano all'idea comune della volgarità.

8. d. **Competizione**, che significa 'gara', è l'unica delle quattro parole che non ha in sé l'idea della confusione.

9. a. **Pedissequo**, che significa 'che segue', 'che imita passivamente qualcuno o qualcosa', ha una connotazione spregiativa che gli altri aggettivi non hanno, indicando semplicemente chi mostra attenzione e cura nei confronti di qualcuno o di qualcosa.

10. d. **Esiziale**, che significa 'dannoso', 'funesto', non ha niente a che fare con gli altri tre aggettivi, i quali rinviano all'idea comune dell'essenzialità (che è cosa diversa dall'esizialità).

11. d. **Fuorviante**, che significa 'che porta fuori strada', è l'unico dei quattro aggettivi che non rinvia all'idea dell'essere nascosto.

12. c. **Volatile**, che significa 'che evapora rapidamente', non ha niente a che fare con gli altri tre aggettivi, che hanno in comune l'idea del cambiamento psicologico piuttosto che fisico.

Punteggio

1	2	3	4	5	6	7	8	9	10	11	12	**T**

19

Parole firmate

Che cosa vuol dire e perché si dice...

1. balcanizzare?
2. burchiellesco?
3. coventrizzare?
4. grandguignolesco?
5. levantino?
6. maramaldeggiare?
7. mercuriale?
8. volterriano?
9. samaritano?
10. serafico?
11. stacanovista?
12. tacitiano?

Soluzioni

1. 'Ridurre un Paese in condizioni di caos, di frammentazione, di disordine' (come successe agli Stati balcanici nei primi decenni del Novecento).

2. 'Sarcastico', 'oscuro', 'bizzarro' (come il poeta fiorentino del Quattrocento Domenico Di Giovanni, detto il Burchiello, che scrisse versi giocosi in uno stile enigmatico e bizzarro).

3. 'Distruggere completamente una città radendola al suolo' (come successe alla città inglese di Coventry, bombardata e rasa al suolo dall'aviazione tedesca durante la Seconda guerra mondiale).

4. 'Orribile', 'truculento', 'terrificante' (come le rappresentazioni macabre e raccapriccianti che si mettevano in scena nel primo Novecento nel teatro parigino del Grand Guignol, che a sua volta aveva preso il nome da una marionetta settecentesca di Lione detta *grand guignol*, cioè 'grande fantoccio').

5. 'Furbo', 'astuto', 'abile negli affari' (come sono considerate le persone dei Paesi del Levante, secondo uno stereotipo che risale al Cinquecento).

6. 'Comportarsi in modo vile, infierendo sui deboli e sugli indifesi' (come il capitano di ventura Fabrizio Maramaldo, che nel 1530, nella battaglia di Gavinana, uccise Francesco Ferrucci, già gravemente ferito).

7. 'Attivo', 'scaltro', 'vivace' (come Mercurio, messaggero degli dei, raffigurato con le ali ai piedi, dio del commercio, dell'eloquenza e dei ladri).

8. 'Scettico', 'ironico', 'irreligioso' (come lo scrittore e filosofo illuminista francese François-Marie Arouet, detto Voltaire, vissuto tra il 1694 e il 1778).

9. 'Persona generosa, disposta al sacrificio per aiutare gli altri'

(come il buon samaritano, abitante della città di Samaria in Palestina, che nella parabola evangelica soccorre un giudeo ferito, benché appartenente a un popolo nemico).

10. 'Pacifico', 'sereno', 'tranquillo' (come i Serafini, che nella tradizione biblica sono gli angeli più vicini a Dio).

11. 'Dedito eccessivamente al proprio lavoro' (come il minatore russo Aleksej Grigor'evič Stachanov, che nel 1935 segnò un primato per la quantità di carbone estratta da una sola persona).

12. 'Concitato', ma anche 'incisivo', 'efficace' (come lo stile dello storico latino Cornelio Tacito).

Punteggio

1	2	3	4	5	6	7	8	9	10	11	12	**T**

20

Dal nome proprio al nome comune

Chi è o che cos'è…

1. un'erinni?
2. un creso?
3. un solone?
4. un mentore?
5. una perpetua?
6. un tartufo?
7. un galeotto?
8. un gradasso?
9. un ganimede?
10. una caporetto?
11. un azzeccagarbugli?
12. un pigmalione?

Soluzioni

1. Una donna crudele e terribile. Le Erinni erano tre divinità che, secondo la mitologia greca, compivano vendette e suscitavano discordie.

2. Una persona molto ricca. Dal nome del re della Lidia famoso per la sua ricchezza.

3. Una persona giusta e saggia (usato soprattutto con tono ironico e spregiativo). Dal nome di Solone, famoso legislatore ateniese.

4. Un consigliere fidato, una guida, un precettore. Dal nome del personaggio omerico di Mentore, a cui Ulisse affidò il figlio Telemaco prima di partire per la guerra di Troia.

5. La domestica di un sacerdote anziana e chiacchierona. Dal nome di Perpetua, la governante di don Abbondio nei *Promessi sposi* di Alessandro Manzoni.

6. Una persona che ostenta bontà, onestà e devozione, ma in realtà è immorale e ipocrita. Dal nome di Tartuffe, protagonista dell'omonima commedia di Molière.

7. Una persona che favorisce gli amori altrui. Dal nome di Galeotto, personaggio di vari romanzi del ciclo bretone che favorì l'amore tra Ginevra e Lancillotto.

8. Un fanfarone, un millantatore, una persona che si vanta di avere fatto o di poter fare cose eccezionali senza averne la capacità. Dal nome di Gradasso, personaggio dell'*Orlando innamorato* di Matteo Maria Boiardo e dell'*Orlando furioso* di Ludovico Ariosto.

9. Un giovane bello, galante, un po' lezioso e affettato. Dal nome del giovane che, per la sua bellezza, fu rapito da Zeus e rimase sull'Olimpo come coppiere degli dei.

10. Una sconfitta disastrosa, una disfatta. Dal nome della loca-

lità di Caporetto dove nel 1917 le truppe italiane furono sconfitte da quelle austroungariche.

11. Un avvocato da strapazzo e disonesto. Dal nome del famoso dottore, personaggio dei *Promessi sposi*, al quale si rivolge Renzo per chiedere consiglio sul matrimonio vietato.

12. Una persona che protegge e ammaestra qualcuno, e specialmente una donna, migliorandone il comportamento e la cultura. Dal nome del mitico re di Cipro Pigmalione, che si innamorò di una statua da lui scolpita, supplicò la dea Afrodite di trasformarla in donna e poi la sposò.

Punteggio

1	2	3	4	5	6	7	8	9	10	11	12	**T**

21

Gratta e vinci 1

Chi si nasconde sotto questi soprannomi o giri di parole?

1. il Ghibellin fuggiasco
2. il Flagello di Dio
3. la Tigre della Malesia (o di Mompracem)
4. l'Imaginifico
5. il Cigno di Busseto
6. il Cigno di Pesaro
7. il Prete rosso
8. il Grande Tessitore
9. il Divin Marchese
10. la Pasionaria
11. il Cancelliere di Ferro
12. il Bardo

Soluzioni

1. Dante Alighieri, definito in questo modo da Ugo Foscolo nei *Sepolcri*: Dante era un guelfo di parte bianca, quindi un po' meno vicino al papa dei guelfi neri, e con una concezione dell'impero più vicina a quella dei ghibellini, tanto da essere condannato all'esilio.

2. Attila, re degli Unni, soprannominato così per la sua ferocia.

3. Sandokan, personaggio di numerosi romanzi d'avventura di Emilio Salgari, detto così per la forza e per l'ambientazione dei romanzi di cui è protagonista.

4. Il poeta e scrittore Gabriele D'Annunzio, che definì con questo termine un personaggio del romanzo *Il fuoco*, in cui raffigurò sé stesso, perché dotato di straordinaria immaginazione.

5. Il compositore Giuseppe Verdi, detto così per la soavità della sua musica, paragonata al canto di un cigno, e perché nato a Le Roncole di Busseto.

6. Il compositore Gioacchino Rossini, detto così per la dolcezza della sua musica, paragonata al canto di un cigno, e perché nato a Pesaro.

7. Il compositore e violinista Antonio Vivaldi, detto «prete» in quanto abate e rosso per il colore dei capelli.

8. Camillo Benso conte di Cavour, soprannominato in questo modo per la sua paziente e difficile realizzazione dell'Unità d'Italia.

9. Il marchese de Sade, scrittore e filosofo francese, definito così dal poeta Charles Baudelaire per l'altezza del suo ingegno.

10. Dolores Gómez Ibárruri, membro del parlamento spagnolo prima della dittatura franchista, passata alla storia con questo appellativo per il suo impegno appassionato nell'attività politica antifascista.

11. Otto von Bismarck, primo cancelliere dell'Impero tedesco, detto così per la sua inflessibilità nell'azione politica.
12. Il poeta e drammaturgo inglese William Shakespeare, così detto in riferimento a un'antica parola che indicava il cantore, il poeta.

Punteggio

1	2	3	4	5	6	7	8	9	10	11	12	T

22

Gratta e vinci 2

Che cosa significano queste espressioni legate a nomi di personaggi o di luoghi?

1. il Re Tentenna
2. fare il re Travicello
3. fare come Ponzio Pilato
4. essere/trovarsi tra Scilla e Cariddi
5. la tela di Penelope
6. fare una cosa alla carlona
7. una vittoria di Pirro
8. segnare in zona Cesarini
9. indossare la camicia di Nesso
10. c'è del marcio in Danimarca
11. gli ozi di Capua
12. perdere la trebisonda

Soluzioni

1. *Tentenna* e *Sor Tentenna* sono soprannomi usati per indicare persone dal carattere indeciso. L'appellativo di *Re Tentenna* fu dato dal poeta satirico Domenico Carbone a Carlo Alberto di Savoia, re di Sardegna, per il suo carattere indeciso.

2. L'espressione *fare il re Travicello* allude a persone prive di autorità, incapaci di governare o di dirigere qualcosa. Deriva dal titolo di una satira scritta nel 1841 da Giuseppe Giusti, *Il re travicello*, forse con allusione al granduca Leopoldo II di Toscana, indicato come *travicello* (= 'piccola trave di legno'), e quindi 'cosa da poco'.

3. Questa espressione significa, in senso metaforico, 'lavarsi le mani di qualcosa', delegando ad altri le proprie responsabilità. Fa riferimento al comportamento di Ponzio Pilato, prefetto romano della Giudea, che secondo il racconto dei Vangeli ebbe un comportamento ambiguo, simboleggiato dal gesto di prendere l'acqua e lavarsi le mani di fronte alla condanna di Cristo.

4. Significa 'trovarsi in una situazione di difficoltà o pericolo'. Le località di Scilla e Cariddi indicano lo stretto di Messina, spesso agitato da forti venti. Scilla e Cariddi erano i due mostri marini che nell'*Odissea* di Omero impedivano ai naviganti di passare nello stretto. Francesco Petrarca, in un sonetto del *Canzoniere*, ha usato questa espressione con il senso di 'grave pericolo': «Passa la nave mia colma d'oblio / per aspro mare, a mezza notte il verno, / enfra Scilla et Caribdi».

5. *Tela di Penelope* si dice di un lavoro che non finisce mai perché continuamente corretto, rifatto, modificato. L'espressione si riferisce alla tela che, nell'*Odissea*, Penelope tesseva di giorno e disfaceva di notte, perché, in attesa del ritorno di

Ulisse, aveva promesso ai Proci che avrebbe scelto un nuovo marito tra loro solo dopo avere finito di tessere la tela per il suocero Laerte.

6. Questa espressione significa 'fare una cosa in modo approssimativo, in fretta, sbrigativamente e male'. L'origine di questo modo di dire risale al re e imperatore Carlo Magno (detto Carlone, dall'antico francese *Charlon*), che nei poemi cavallereschi del tardo Medioevo veniva sempre rappresentato come una persona semplice e alla buona.

7. Con questa espressione si indica un 'successo inutile', 'una battaglia vinta a un prezzo troppo alto per il vincitore'. Il riferimento è alle battaglie che Pirro, re dell'Epiro, vinse contro i romani con gravissime perdite.

8. Nel calcio *segnare in zona Cesarini* significa 'segnare un gol negli ultimi minuti della partita': l'espressione fu coniata dal giornalista Eugenio Danese nel 1931, quando il calciatore italoargentino Renato Cesarini segnò due gol, uno all'ottantacinquesimo minuto nella partita Italia-Svizzera e uno al novantesimo nella partita Italia-Ungheria. Da allora l'espressione *zona Cesarini* indica, anche al di fuori del calcio, 'la fase finale di un evento, l'ultima occasione per compiere un'azione'.

9. Trovarsi in una situazione scomoda, vivere un tormento, un'angoscia dalla quale è impossibile liberarsi. Con riferimento alla tunica intrisa del proprio sangue che il centauro Nesso regalò a Deianira e che, indossata da Ercole, fu causa della sua morte fra atroci sofferenze.

10. La situazione è oscura; si sospettano manovre losche e disoneste. L'espressione viene dal primo atto dell'*Amleto* di William Shakespeare, in cui Marcello, intuendo che la morte

del re è dovuta a un omicidio, pronuncia la famosa frase: «*Something is rotten in the state of Denmark*».

11. Un periodo di riposo eccessivamente lungo, come quelli che si sarebbero concessi i soldati di Annibale a Capua dopo la battaglia di Canne, durante la seconda guerra punica.

12. Perdere la bussola, l'orientamento, il controllo di sé; essere disorientato, frastornato. Dal nome dell'antica città turca di Trabzon sul Mar Nero, italianizzata in Trebisonda: per i naviganti genovesi e veneziani perdere la rotta per Trebisonda significava essere esposti agli attacchi dei pirati turchi, e da allora l'espressione ha assunto il significato ancora vivo nell'uso.

Punteggio

1	2	3	4	5	6	7	8	9	10	11	12	**T**

23

Uno zoo di parole

Che cosa significa…

1. Andare in vacca?
2. Cercare/inseguire farfalle sotto l'arco di Tito?
3. Gatto selvaggio?
4. Prendere un granchio?
5. Fare lo struzzo/fare la politica dello struzzo?
6. Vedere/far vedere i sorci verdi a qualcuno?
7. Cavalcare la tigre?
8. Uccidere il vitello grasso?
9. Adorare il vitello d'oro?
10. Essere la mosca cocchiera?
11. Essere la pecora nera?
12. Essere una mosca bianca?

Soluzioni

1. Diventare pigro, ozioso, svogliato. L'espressione deriva dal linguaggio della bachicoltura: le vacche sarebbero i bachi da seta che non arrivano a fare il bozzolo perché si ammalano e si afflosciano.

2. Occuparsi di cose senza importanza, perdendo di vista il problema centrale. L'espressione fu usata da Giosuè Carducci nell'ode barbara *Roma*, e precisamente nei versi: «Non curioso a te de le piccole cose io vengo: / chi le farfalle cerca sotto l'arco di Tito?», che divennero popolari durante il fascismo perché usati da Mussolini nel discorso del 3 gennaio 1925.

3. Uno sciopero selvaggio, che prevede interruzioni improvvise del lavoro, tali da fermare l'intera produzione. Si tratta della traduzione dell'espressione inglese *wildcat strike*, usata dal 1943 negli Stati Uniti per indicare gli scioperi non autorizzati dai sindacati.

4. Fare un errore, una svista, prendere un abbaglio. Probabilmente l'espressione deriva da un modo di dire dei pescatori, delusi quando nelle reti trovavano dei granchi invece che i pesci.

5. Fingere di ignorare cose o situazioni gravi e non affrontarle (secondo la credenza popolare per cui lo struzzo, all'avvicinarsi del pericolo, nasconderebbe la testa nella sabbia o sotto l'ala invece di fuggire).

6. Sbalordire, far paura, specialmente con azioni sorprendenti e inaspettate (dal nome dell'emblema della squadriglia da bombardamento guidata dal colonnello Attilio Biseo e dal capitano Bruno Mussolini, che aveva sulla fusoliera tre topi verdi: l'espressione deriverebbe da una frase del colonnello

Biseo che, ricevendo i nuovi aeroplani, avrebbe detto scherzosamente che avrebbero fatto *vedere i sorci verdi* al nemico).

7. Assumere la guida di una situazione ancora instabile e rischiosa per trarne vantaggio; sfruttare un movimento di protesta per volgerlo ai propri fini. L'espressione nasce dalla consapevolezza che non si può scendere dalla groppa di una tigre durante la corsa.

8. Fare una grande festa per celebrare un evento inatteso, e specialmente il ritorno di qualcuno. L'espressione si riferisce alla parabola evangelica del figliuol prodigo, nella quale si racconta di un padre che uccide il vitello grasso per festeggiare il ritorno del figlio.

9. Inseguire la ricchezza, i beni materiali. Nel racconto biblico gli ebrei, sentendosi abbandonati da Dio, costruirono e venerarono con culto orgiastico un vitello d'oro mentre Mosè era sul Monte Sinai.

10. Essere persona priva d'importanza, che vuol far credere di avere un ruolo di grande responsabilità e autorità (come la mosca superba sul cocchio che rimprovera la mula, incitandola ad andare più veloce, nella favola di Fedro).

11. Essere una persona che all'interno di un gruppo, di una famiglia, di una comunità si fa notare negativamente, allontanandosi dai comportamenti condivisi, e per questo è mal vista (come una pecora di colore nero spicca per diversità all'interno di un gregge di pecore bianche).

12. Essere persona di gran pregio, dalle qualità molto rare (come sarebbe una mosca di colore bianco, se esistesse).

Punteggio

1	2	3	4	5	6	7	8	9	10	11	12	**T**

24

Va' a saperlo!

Indovinate l'etimologia delle seguenti parole:

1. La parola *aborigeno* significa 'indigeno', 'originario del Paese in cui vive', 'antico abitante del luogo'. Deriva...
    a) dall'espressione latina *ab origine*;
    b) dal termine latino *Aborigines*, nome proprio con cui si indicavano i più antichi abitanti del Lazio e dell'Italia;
    c) dal verbo latino *abhorrere*, cioè 'avere in orrore', 'evitare per ripugnanza', con riferimento all'aspetto minaccioso di alcune antiche popolazioni colonizzate da Roma.
2. La parola *brasato* deriva...
    a) dalla deformazione popolare del participio *bruciato*;
    b) da *brasàr*, voce tipica di alcuni dialetti settentrionali, a sua volta derivata da *brasa*, cioè *brace*;

c) dal latino tardo *abrasare*, cioè 'radere completamente', 'privare del pelo', con riferimento all'attenta pulitura della carne di bue prima della cottura a fuoco lento.

3. La parola *brindisi*...

 a) deriva dall'espressione tedesca *bring dir 's* (pron. *brìndirs*), che vuol dire 'lo porto a te (il bicchiere)' = 'bevo alla tua salute', ed è stata diffusa in Italia nel Cinquecento dai soldati mercenari svizzeri;

 b) riprende il nome della città di *Brindisi*, in cui fin dal Medioevo, in occasione della festa dell'Assunzione, c'era l'abitudine di levare il bicchiere in segno di gioia, abitudine poi diffusasi in tutta Italia;

 c) è l'italianizzazione di *Brandeis*, nome di un'università americana non lontana dalla città di Boston, i cui studenti, nell'Ottocento, lanciarono la moda di brindare con vino o con liquori in occasione delle feste di laurea.

4. La parola *ceffone*...

 a) riprende l'italiano antico *ciaffone*, termine onomatopeico che riproduceva il suono provocato dalla mano che colpisce la guancia;

 b) riprende l'italiano antico *ceffo* (= 'muso del cane', o 'volto orribile'), a sua volta derivato dal francese antico *chief* (pron. *scèf*), cioè 'testa', 'faccia';

 c) riprende il francese *chiffon* (= 'straccio'), con

riferimento al fazzoletto o al guanto con cui si colpiva chi veniva sfidato a duello.

5. L'espressione *cin cin...*

   a) è un'onomatopea che riproduce, attenuandolo, il suono che fanno i bicchieri quando si toccano;

   b) evoca il nome del penitenziario di *Sing-Sing*, i cui detenuti escogitarono per primi un sistema di comunicazione basato sul colpire con un oggetto metallico le sbarre della cella;

   c) è un'imitazione della formula di cortesia *ch'ing-ch'ing* (pron. *cìng-cìng*), che in cinese vuol dire 'prego, prego', e che è stata diffusa in Italia nei primi anni del Novecento dai nostri ufficiali di marina.

6. La parola *cirrosi*, che indica una grave degenerazione del fegato, deriva...

   a) dal termine greco *kirros*, che voleva dire 'arancione scuro', con riferimento al colore che assume il fegato colpito da questa malattia;

   b) da *Cirro*, il mitico mostro alato che, secondo il mito, ogni giorno divorava il fegato di Prometeo incatenato alla roccia, punito da Zeus per avere regalato il fuoco agli uomini;

   c) dal termine *cirro* (= 'particolare tipo di massa nuvolosa indistinta'), perché anticamente la *cirrosi* era una patologia di cui non si arrivavano a distinguere le cause.

7. La parola *lapis* deriva...

a) dal termine *lapislazzuli*, nome del minerale *lazurite*, una pietra di colore azzurro che lascia un segno scuro;

b) dal latino *lapis haematites*, che voleva dire 'pietra sanguigna';

c) dal nome dell'inventore della matita, John Lapis.

8. La parola *coriandolo* deriva…

a) dal nome dei confetti con semi di *coriandro* o *coriandolo* che, a partire dal carnevale del 1875, passò a designare i caratteristici dischetti di carta colorata;

b) dal nome di *Madame de Coriande*, che li ideò per una festa di carnevale alla corte di Luigi XIV;

c) da *corilo*, nome antico e poetico del *nocciolo*, perché anticamente nelle feste di carnevale si tiravano nocciole, poi sostituite dai caratteristici dischetti di carta.

9. La parola *naia*, che indica il servizio militare obbligatorio, deriva…

a) da *naja*, nome inglese del cobra, a sua volta derivato dall'indostano *nag*, con allusione ai pericoli e alle difficoltà del servizio militare;

b) dall'espressione veneta *sot la naia*, cioè 'sotto la genia, la gentaglia', termine con cui i soldati semplici indicavano i superiori;

c) dal russo *nagajka*, che era uno staffile, una

striscia di cuoio che i cosacchi attaccavano a un piccolo manico.

10. La parola *petardo* deriva…

   a) dall'unione dei verbi latini *peto* e *ardeo*, cioè 'mi dirigo ardendo, bruciando';

   b) dalla composizione delle due parole *pira* e *dardo*, nel significato di 'freccia di fuoco';

   c) dal termine francese *pétard*, a sua volta derivato da *pet* (pron. *pé*), che in francese voleva dire 'peto'.

11. Il nome della malattia *sifilide* è tratto…

   a) dal titolo del poema *Syphilis* di Girolamo Fracastoro, scritto nel 1530;

   b) dal nome volgarizzato delle *silfidi*, personaggi femminili gaudenti della mitologia germanica;

   c) dal greco *sophilis* (= 'male della conoscenza, dell'incontro').

12. La parola *sosia* deriva…

   a) dalla locuzione *non so chi sia*, ridottasi, in una pronuncia un po' affrettata, a *sosia*, e poi a *sòsia*, con ritrazione dell'accento;

   b) da *socium*, che in latino voleva dire 'compagno' e, per estensione, 'pari', 'uguale';

   c) dalla parola francese *sosie* (pron. *sosì*), nome di un personaggio che, in una commedia di Plauto e poi di Molière, viene sostituito da Mercurio, che ne assume le sembianze.

Soluzioni

1. b; 2. b; 3. a; 4. b; 5. c; 6. a; 7. b; 8. a; 9. a; 10. c; 11. a; 12. c.

Punteggio

1	2	3	4	5	6	7	8	9	10	11	12	**T**

25

Geografia delle parole

1. *arsenale* è una parola di origine araba, inglese o francese?
2. *bottiglia* è una parola di origine tedesca, francese o spagnola?
3. *bricco*, che indica il caratteristico recipiente di ceramica o di metallo, più largo in fondo e con beccuccio, per caffè o latte, è una parola di origine greca, russa o turca?
4. *catrame* è una parola di origine araba, greca o francese?
5. *chincaglia* è un prestito dal francese, dall'arabo o dallo spagnolo?
6. *landò*, che indica una carrozza elegante a quattro ruote e due mantici che si chiudono a piacere, tirata da due o quattro cavalli, è una parola di origine francese, tedesca o spagnola?
7. *marachella*, che significa 'bricconata fatta di nascosto', è una parola di origine ebraica, inglese o tedesca?

8. *mustacchi* è una parola di origine greca, russa o turca?

9. *nacchera* è una parola di origine spagnola, araba o turca?

10. *propaganda* è una parola di origine francese, latina o spagnola?

11. *rango*, cioè 'schiera', 'riga', 'condizione' è una parola di origine inglese, spagnola o francese?

12. *sorbetto* è una parola di origine francese, turca o spagnola?

Soluzioni

1. Con ogni probabilità, è l'adattamento veneziano della forma araba *dar as-sina*.
2. Proviene dal francese antico *bouteille*.
3. È l'adattamento del turco *ibrìq*, a sua volta entrato nel turco dal persiano.
4. Proviene da *qatran*, che in arabo significava 'catrame', 'pece liquida', 'resina'.
5. Proviene dalla parola francese *quincaille*, che ha un'origine onomatopeica: riproduce il suono che fanno le cianfrusaglie quando si urtano fra di loro.
6. È un prestito dal tedesco. *Landò*, con l'accento sulla *o*, è una falsa pronuncia, alla francese, di una parola di origine tedesca: *landau*, dal nome della città tedesca dove vennero fabbricate le prime carrozze di questo tipo.
7. È l'adattamento dell'ebraico *merragel* (= 'esploratore', 'spia').
8. Proviene dal greco medievale *moustakion*, da *moustax* (= 'baffo folto e lungo'), e si è diffuso in Italia a partire dal Cinquecento.
9. È l'adattamento dell'arabo *naqqara* (= 'timpano').
10. È l'adattamento del francese *propagande*.
11. È l'adattamento del francese *rang*, che in un primo tempo, nella forma *renc*, significò 'linea di soldati' e poi, nella forma *rang*, 'classe sociale'.
12. Viene dal turco *Šerbet* (= 'bevanda fresca'), a sua volta derivato dall'arabo *Šarab* (= 'bevanda').

Punteggio

1	2	3	4	5	6	7	8	9	10	11	12	**T**

26

Chi le capisce è bravo

Queste parole vengono dal gergo della malavita, da quello dei tossicodipendenti o dal più innocente linguaggio dei giovani. Che cosa significa...

1. accannare?
2. accollarsi?
3. allupato?
4. arterio?
5. bella?
6. incartarsi?
7. paranoia?
8. pogare?
9. scialla?
10. sclerare?
11. svarionare?
12. tranqui?

Soluzioni

1. Smettere, cessare, farla finita.
2. Essere appiccicoso come la colla; essere insistente.
3. Eccitato, voglioso di rapporti sessuali.
4. Persona considerata vecchia, superata, per il comportamento e per le cose che dice.
5. Formula di saluto che equivale a «Ciao».
6. Perdere il controllo di sé.
7. Stato di confusione mentale.
8. Ballare saltando, urtandosi, dandosi gomitate e spintoni.
9. «Stai tranquillo, non te la prendere».
10. Impazzire, dare di matto.
11. Dire assurdità.
12. Tranquillo.

Punteggio

1	2	3	4	5	6	7	8	9	10	11	12	T

27

Le parole dei nonni

Parole ed espressioni ormai passate di moda. Chi è in grado di spiegare il significato di...

1. Avere l'argento vivo addosso?
2. Andare a babboriveggoli?
3. Mettersi in chicchere e piattini?
4. Fare berlicche berlocche?
5. Rimanere di princisbecco?
6. Fare flanella?
7. Andare in camporella?
8. Scoprire gli altarini?
9. Fare giacomo giacomo?
10. Essere una madonnina infilzata?
11. Mettersi in ghingheri?
12. Avere qualcuno in uggia?

Soluzioni

1. 'Non poter stare mai fermo', 'essere molto irrequieto', 'muoversi continuamente'. Questo modo di dire nasce dall'abitudine popolare di indicare con il nome di *argento vivo* il mercurio, che è di colore argenteo e liquido a temperatura ambiente, dando l'impressione di essere sempre in movimento.

2. 'Morire.' Si tratta di una parola inventata, composta di *babbo* e di una forma scherzosa del verbo *rivedere*, con la parte finale di molti nomi di luogo toscani (per esempio, *Montespertoli*). Come dire: 'andare a rivedere il babbo defunto'.

3. 'Agghindarsi', 'vestirsi con gran cura'. Erano dette *chicchere* le tazzine per bere il caffelatte o la cioccolata: nel passato bere qualcosa in tazzine di questo tipo, accompagnate da piattini, indicava abitudini eleganti, un po' affettate, e da lì è nata l'espressione.

4. 'Mancare di parola'; 'essere volubile', 'cambiare le carte in tavola'. *Berlicche berlocche* (o *berlic berloc*) è una voce espressiva: *berlicche* anticamente era il nome popolare dato scherzosamente al diavolo (*restare come berlicche* significava 'restare scornato').

5. 'Rimanere di stucco, esterrefatto.' Il *princisbecco* era una lega di stagno, rame e zinco simile nell'aspetto all'oro, ma di scarso valore, usata solo per la bigiotteria, dal nome dell'orologiaio inglese Christopher Pinchbeck che l'ha inventata. Da qui l'uso estensivo del termine, per alludere allo sbalordimento nello scoprire che una cosa considerata preziosa è falsa.

6. 'Oziare', 'perdere tempo'. L'espressione riproduce la frase francese *faire flanelle* (= 'bighellonare').

7. 'Amoreggiare in luoghi nascosti di campagna.' Anticamente *campora* era la forma plurale di *campo*, e indicava un picco-

lo campo, un praticello dove appartarsi a fare l'amore senza essere visti.

8. 'Scoprire i segreti, le malefatte di qualcuno.' L'espressione scherzosa ha origine liturgica: nella settimana di Pasqua le immagini sacre e gli altari delle chiese vengono coperti in segno di lutto con un panno viola, che viene tolto la domenica successiva all'annuncio della resurrezione di Cristo.

9. 'Tremare', 'sentirsi mancare, per stanchezza o per paura'; detto delle gambe o delle ginocchia. Probabilmente si tratta di un'espressione onomatopeica (del tipo di *ciac ciac*), che riproduce il rumore delle giunture delle gambe.

10. 'Essere una donna o ragazza ipocrita, onesta e virtuosa solo in apparenza'; 'santarellina'. L'espressione è nata, probabilmente, con riferimento all'immagine popolare della Madonna dei Sette Dolori, che viene raffigurata trafitta da sette spade.

11. 'Vestirsi con abiti ricercati'; 'mettersi in fronzoli'. Probabilmente l'espressione *in ghingheri* deriva dal verbo *agghindare*, che a sua volta significa 'vestire con ricercatezza un po' leziosa'.

12. 'Trovare una persona antipatica, molesta.' L'etimologia di *uggia* è incerta: qualcuno la spiega con la parola latina *udiam*, che significava 'umidità', 'frescura', 'ombra', e poi 'noia'; altri la fanno risalire al latino *odia* (= 'odii').

Punteggio

1	2	3	4	5	6	7	8	9	10	11	12	**T**

28

Parole nuove (o quasi)

Queste parole sono entrate nell'italiano al massimo da quarant'anni. Che cosa significa…

1. avatar?
2. bamboccione?
3. biotestamento?
4. crossmediale?
5. esamificio?
6. gastronauta?
7. glocalismo?
8. mobbizzare?
9. omofobia?
10. resettare?
11. scudare?
12. tanoressia?

Soluzioni

1. 'Personaggio virtuale.' Dalla parola sanscrita *avatara* (= 'discesa').
2. 'Giovane considerato incapace di affrontare le responsabilità e le difficoltà della vita.' La parola si è diffusa dal 2007; è l'accrescitivo di *bamboccio* (= 'persona ancora immatura').
3. 'Testamento biologico nel quale una persona dichiara la propria volontà sul trattamento al quale vorrebbe essere sottoposta qualora non fosse più in grado di esprimere il proprio consenso durante una malattia grave.' Termine composto da *bio-* (= 'che riguarda la vita') e *testamento*.
4. 'Diffuso attraverso più mezzi di comunicazione'; 'che utilizza più mezzi di comunicazione' (televisione, web, smartphone, eccetera). L'aggettivo deriva dal termine inglese *crossmedia* (= 'connessione tra i mezzi di comunicazione grazie allo sviluppo delle piattaforme digitali'), con l'aggiunta del suffisso *-ale*.
5. 'Fabbrica di esami'; termine polemico per indicare le università in cui si fanno esami in quantità esagerata rispetto alle altre funzioni didattiche. La parola ha cominciato a circolare nel 1989; è composta da *esame* e *-ficio* (= 'luogo dove si fabbrica qualcosa').
6. 'Chi viaggia alla ricerca di cibi genuini e specialità gastronomiche raffinate.' La parola si è diffusa a partire dal 1976, ed è composta da *gastro(nomico)* e *nauta* (= 'navigatore').
7. 'Tendenza della politica e dell'economia che cerca di conciliare le esigenze locali con la globalizzazione.' La parola si è diffusa dopo il 1999; è il risultato della fusione tra *glo(balismo)* e *(lo)calismo*.
8. 'Sottoporre qualcuno a *mobbing*, cioè a una pressione psico-

logica esercitata isolandolo ed emarginandolo all'interno di un gruppo, nell'ambiente di lavoro, eccetera.' Il termine è entrato in italiano nel 2002; viene dalla parola inglese *mobbing*, a sua volta derivata dal verbo *to mob* (= 'assalire').

9. 'Atteggiamento intollerante', 'avversione nei confronti degli omosessuali'. La parola si è diffusa a partire dal 1985; è composta da *omo(sessuale)* e *fobia* (= 'avversione', 'ripugnanza').

10. 'Eseguire il *reset*, cioè riportare allo stato iniziale'; 'azzerare'. La parola è comparsa per la prima volta in italiano nel 1988; il verbo è l'italianizzazione del verbo inglese *to reset* (= 'cancellare', 'azzerare').

11. 'Approfittare di una sanatoria di legge per regolarizzare la propria situazione fiscale, evitando così futuri accertamenti.' La parola si è diffusa dal 2004; il verbo deriva dalla parola *scudo*, nel senso di *scudo fiscale*.

12. 'Mania dell'abbronzatura a tutti i costi.' Il termine viene dall'inglese *tanorexia*, che a sua volta è derivato da *tan* (= 'abbronzatura') e *orexia*, dal greco *orexis* (= 'appetito').

Punteggio

1	2	3	4	5	6	7	8	9	10	11	12	T

29

Per modo di dire

Che cosa vuol dire...

1. Andare o venire a Canossa?
2. Andare per la maggiore?
3. Aspettare la manna dal cielo?
4. Avere (sulla testa) una spada di Damocle?
5. Ciurlare nel manico?
6. Essere come l'asino di Buridano?
7. Essere un vaso di Pandora?
8. Menare il can per l'aia?
9. Piantare in asso?
10. Rimandare alle calende greche?
11. Ritirarsi sull'Aventino?
12. Rivedersi a Filippi?

Soluzioni

1. Vuol dire 'chiedere umilmente perdono', 'sottomettersi', soprattutto dopo una condotta spregiudicata e spavalda. Si dice così perché nel 1077 Enrico IV andò al castello di Canossa, scalzo e con l'abito dei penitenti, a chiedere perdono a papa Gregorio VII, che lo umiliò facendolo aspettare per tre giorni.

2. Vuol dire 'godere di molta stima e prestigio', 'essere valutato fra i primi nel proprio ambiente', 'andare molto di moda'. Nella Firenze medievale l'espressione *andar per la maggiore* (o *minore*) significava essere iscritto a una delle arti maggiori o minori.

3. Vuol dire 'restare a far niente aspettando che la fortuna o qualcun altro risolvano le nostre difficoltà'. Si dice così perché si fa riferimento a un famoso episodio della Bibbia: per gli ebrei, infatti, la manna fu un cibo inatteso e inaspettato che Dio faceva scendere ogni notte dal cielo.

4. Vuol dire 'avere sopra di sé una minaccia o un pericolo incombente'. La tradizione racconta che Dioniso il vecchio, tiranno di Siracusa, mostrò a Damocle (suo favorito, che lo aveva definito «felice») come vivesse un tiranno, facendogli sospendere sul capo, durante un banchetto, una spada appesa a un filo.

5. Vuol dire 'tardare a mantenere un impegno assunto con scuse e pretesti'. Chi si comporta così fa come la parte metallica di un arnese, che quando *ciurla* nel manico (cioè non sta ben ferma nel manico, tentenna, gira), non lo fa funzionare bene.

6. Vuol dire 'restare indeciso nella scelta quando ci sono due possibilità'. L'espressione si deve al fatto che il filosofo medievale Giovanni Buridano, per illustrare una sua teoria filo-

sofica, adoperò l'argomento dell'asino che, non riuscendo a scegliere tra due fasci di fieno, o tra il fieno e l'acqua, muore di fame.

7. Vuol dire 'essere una persona che provoca disgrazie e malanni'. Secondo la mitologia greca, il vaso di Pandora era l'orcio pieno di tutti i mali affidato da Zeus a Pandora. Lei per curiosità aprì l'orcio, e così i mali si sparsero per il mondo portando sciagure a tutti gli uomini.

8. Vuol dire 'portare una cosa per le lunghe', 'perdere tempo in modo da non concludere nulla o lasciare le cose come stanno'. Si dice così perché l'aia della fattoria è uno spazio troppo ristretto per portarvi in giro un cane da caccia, che ha bisogno di luoghi spaziosi e aperti.

9. Vuol dire 'abbandonare qualcuno nel momento più importante o difficile', o anche sul più bello, quando meno se l'aspetta. Asso è l'alterazione di Nasso, l'isola in cui, secondo il mito, Arianna fu abbandonata da Teseo, piantata in Nasso. Successivamente, da *piantare in Nasso* l'espressione si semplificò *in piantare in asso*.

10. Vuol dire 'rimandare a una data che non verrà mai', perché le calende, nel calendario greco, non esistevano. Esistevano, invece, in quello romano; erano il primo giorno del mese, in cui normalmente si pagavano i debiti. L'espressione fu inventata dall'imperatore Augusto per indicare la data in cui i debitori insolventi avrebbero finalmente pagato i loro debiti, cioè mai.

11. Vuol dire 'appartarsi', 'ritirarsi sdegnosamente in segno di protesta'. Si dice così perché sul colle dell'Aventino si ritirò la plebe dell'antica Roma durante la lotta con i patrizi. Si può aggiungere che *Aventino* fu detta l'opposizione degli antifascisti che abbandonarono il parlamento nel 1924, dopo l'uc-

cisione di Giacomo Matteotti, per protesta e accusa contro il governo fascista.

12. Vuol dire 'rimandare una questione al giorno della resa dei conti'. Coniugata al futuro, *ci rivedremo a Filippi*, la frase può avere un tono ironico o minaccioso, per ricordare a qualcuno che verrà anche per lui il giorno della prova. L'espressione fu usata, secondo la tradizione, dal genio cattivo di Bruto, che apparve in sogno all'uccisore di Cesare predicendogli la sconfitta e il suicidio sul campo di battaglia presso Filippi.

Punteggio

1	2	3	4	5	6	7	8	9	10	11	12	T

30

Proverbi: se li conosci li usi

Che cosa si intende quando si dice...

1. Chi semina vento raccoglie tempesta?
2. Carta canta e villan dorme?
3. L'acqua corre al mare?
4. Il gioco non vale la candela?
5. Di notte tutti i gatti sono bigi (o neri)?
6. Tutti i salmi finiscono in gloria?
7. Se non è zuppa è pan bagnato?
8. Meglio un asino vivo che un dottore morto?
9. L'occhio del padrone ingrassa il cavallo?
10. A buon intenditor poche parole?
11. Gallina vecchia fa buon brodo?
12. Val più la pratica che la grammatica?

Soluzioni

1. 'Chi fa del male finisce per essere vittima dello stesso male, ma accresciuto.' Come il vento, che si trasforma progressivamente in tempesta.

2. 'Quando un accordo è scritto su carta, si può stare tranquilli.' Il proverbio si riferisce al fatto che i documenti scritti, cioè le carte, cantano, cioè dicono il vero e si conservano, e così il villano, cioè la persona semplice, anche se non sa né leggere né scrivere, può dormire tranquillo, certo che i suoi diritti saranno salvaguardati.

3. 'Le cose buone e vantaggiose capitano a chi ne ha già in abbondanza', così come i corsi d'acqua affluiscono verso il mare, dove di acqua ce n'è già tanta.

4. 'La fatica o il rischio di un'impresa sono sproporzionati rispetto al risultato.' La posta in gioco è così piccola che non vale neppure il costo della candela consumata durante l'impresa.

5. 'Ci sono momenti in cui non si riescono a vedere le cose con lucidità e non si notano le differenze', così come nel buio della notte tutti i gatti sembrano dello stesso colore scuro, anche se in realtà hanno ciascuno un colore diverso.

6. 'Certi discorsi o certi fatti si concludono sempre allo stesso modo', così come nella messa alla fine dei salmi si recita sempre il Gloria al Padre.

7. 'Fra due cose non c'è una differenza sostanziale, anche se le si chiama con due nomi diversi': zuppa e pane ammollato nell'acqua sono nomi diversi per indicare la stessa cosa.

8. 'Non bisogna rovinarsi la salute studiando troppo.' Secondo questo proverbio, è preferibile rimanere asini, cioè ignoranti,

piuttosto che diventare dottori in qualche disciplina ma morire per la fatica dello studio.

9. 'L'attenzione diretta ai propri affari, ai propri beni materiali, li fa prosperare.' Si tratta di un proverbio di origine contadina che allude alla cura del cavallo da parte del padrone, che tenendolo d'occhio lo fa crescere bene.

10. 'Non è necessario fare lunghi discorsi a chi è in grado di capire.'

11. 'Una cosa o una persona vecchia può valere molto, può ancora dare buoni risultati.' Come la gallina, che è più saporita e buona da mangiare quando invecchia.

12. 'È più importante l'esperienza diretta che la conoscenza teorica.' Nel proverbio, la grammatica viene considerata come un insieme di regole astratte, contrapposta all'esperienza pratica delle cose, più importante della teoria.

Punteggio

1	2	3	4	5	6	7	8	9	10	11	12	T

Finito di stampare nell'aprile 2014
presso ELCOGRAF S.p.A.
Stabilimento di Cles (TN)
Printed in Italy